人文武术精品书系

勿使前辈之遗珍失于我手
勿使国术之精神止于我身

黄元秀

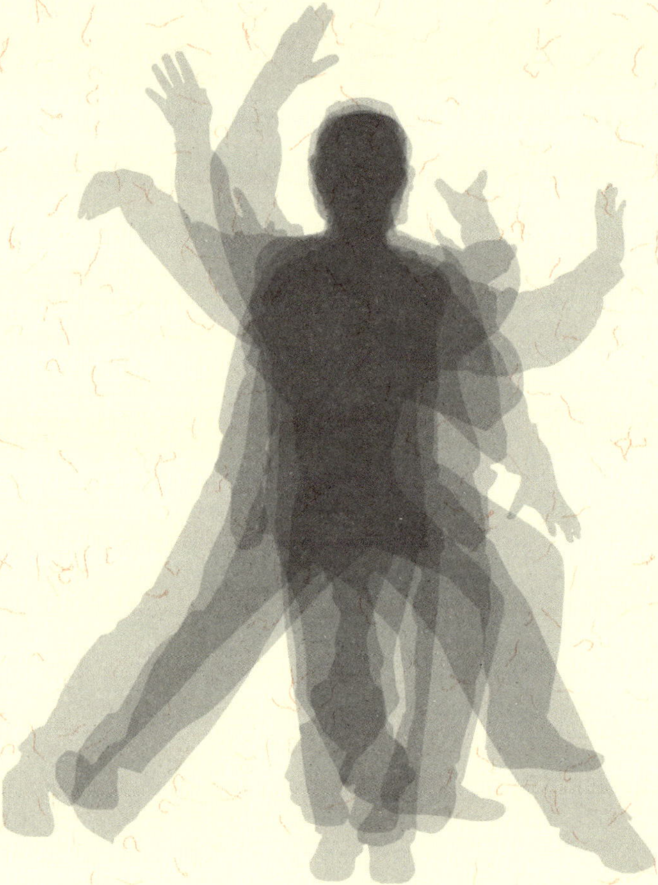

# 武术丛谈续编

武学名家典籍丛书

# 黄元秀武学辑录

黄元秀·编著

崔虎刚·点校

北京科学技术出版社

黄元秀（1884—1964），浙江杭州人。辛亥革命元老，早年与黄兴、秋瑾、徐锡麟、蔡元培、章太炎等交游，集护国护法军人、北伐将领、抗日志士、书法家、佛学精修者、武学家等身份于一身。他的武学著作渊源得于李景林、杨澄甫等大师，反映出以为国为民、强国强族、复兴中华为目的的治学思想，融会大量真手明家的珍贵史料和交流心得，对武学贡献卓著。

武術叢譚續編

图书在版编目（CIP）数据

黄元秀武学辑录. 武术丛谈续编 / 黄元秀编著；崔虎刚点校. —北京：北京科学技术出版社, 2021.10
（武学名家典籍丛书）
ISBN 978-7-5714-0489-5

Ⅰ. ①黄… Ⅱ. ①黄… ②崔… Ⅲ. ①武术－研究－中国 Ⅳ. ①G852

中国版本图书馆CIP数据核字(2019)第212202号

策划编辑：王跃平
责任编辑：苑博洋
责任校对：贾　荣
责任印制：张　良
版式设计：王跃平
出 版 人：曾庆宇
出版发行：北京科学技术出版社
社　　址：北京西直门南大街16号
邮政编码：100035
电　　话：0086-10-66135495（总编室）0086-10-66113227（发行部）
网　　址：www.bkydw.cn
印　　刷：保定市中画美凯印刷有限公司
开　　本：787 mm × 1092 mm　1/16
字　　数：227千字
印　　张：23
插　　页：4
版　　次：2021年10月第1版
印　　次：2021年10月第1次印刷
ISBN 978-7-5714-0489-5

定　　价：125.00元

# 出版人语

武术作为中华民族文化的重要载体，集合了传统文化中哲学、天文、地理、兵法、中医、心理等学科精髓，它对人与自然和谐共生关系的独到阐释，它的技击方法和养生理念，在博大精深的中华文化中独具特色。

随着学术界对中华武学的日益重视，北京科学技术出版社应国内外研究者对武学典籍的迫切需求，于2015年决策组建了“人文·武术图书事业部”，该部成立伊始的主要任务之一，就是编纂出版“武学名家典籍丛书”。

入选本套丛书的作者，基本界定为民国以降的武术技击家、武术理论家及武术活动家，之所以会有这个界定，是因为此时期的武术，在中国武术的发展史上占据着重要的位置。在这个时期，中西文化日渐交流与融合，传统武术从形式到内容，从理论到实践，都发生了巨大的变化，这种变化，深刻干预了近现代中国武术的走向。

这一时期，在各自领域“独成一家”的许多武术人，之所以被称为“名人”，是因为他们的武学思想及实践，对当时及现世武术的影响深远，甚至成为近一百年来武学研究者辨识方向的坐标。这些人的“名”，名在有武术的真才实学，名在对后世武术传承永不磨灭的贡献。他们的各种武学著作堪称“名著”，是中华传统武学文化极其珍贵的经典史料，具有很高的文物价值、史料价值和学术价值。

民国时期的太极拳著作，在整个太极拳发展史上占有举足轻重的地位。当时的太极拳著作，正处在从传统的手抄本形式向现代出版形式完成过渡的时期；同时也是传统太极拳向现代太极拳过渡的关键时期。这一历史时期的太极拳著作，不仅忠实地记载了太极拳的衍变和最终定型，还构建了较为完备的太极拳技术和理论体系。“武学名家典籍丛书”收录了著名杨式太极拳家杨澄甫先生的《太极拳使用法》《太极拳体用全书》，一代武学大家孙禄堂先生的《形意拳学》《八卦拳学》《太极拳学》《八卦剑学》《拳意述真》，武学教育家陈微明先生的《太极拳术》《太极剑》《太极答问》，武术活动家许禹生先生的《太极拳势图解》《陈式太极拳第五路·少林十二式》，董英杰先生的《太极拳释义》，杜元化先生的《太极拳正宗》，以及陈鑫先生的《陈氏太极拳图说》。

此次出版的《黄元秀武学辑录（全三册）》首次汇集了武术家黄元秀先生一生主要的武学著作：李景林先生亲授的第一部武当剑专著《武当剑法大要》；包含杨澄甫等太极大家高深功夫及拳

谱，以及黄元秀先生数十年拳学体悟的《太极要义》和《杨家太极拳各艺要义》(《太极要义》与《杨家太极拳各艺要义》的内容有重合之处，故将《杨家太极拳各艺要义》原文影印附录于《太极要义》之后，以便研究者考证)；记录了杨澄甫先生所授拳剑刀枪各图及黄元秀平生武学阅历经验所得的《武术丛谈续编》。

黄元秀一生修武修佛，造诣极高。他的武学著作反映出以为国为民、强国强族、复兴中华为目的的治学思想。其著作中含有大量的珍贵史料和心得体会，对武学贡献卓著。但其著作流传却十分有限，迄今为止，国内外尚没有出版过黄元秀武学著作合集，更没有整理简体合集出版。因此，对黄元秀武学著作的首次合集出版，将会对传统武学及其相关文化的研究与继承、历史迷雾的澄清、传统武学的发扬光大都有所帮助。无论初学者还是资深武学家，都会从这样一位独特人物的武学结晶中汲取到自己所需。这也是我们整理分享黄元秀前辈著作的初衷。

以上提及的武术家及他们的著作，在当时就已具有广泛的影响力，时隔近百年之后，它们对于现阶段的拳学研究依然具有指导作用，并被太极拳研究者、爱好者奉为宗师、奉为经典。对其进行多方位、多层面的系统研究，是我们今天深入认识传统武学价值，更好地继承、发展、弘扬民族文化的一项重要内容。

本丛书由国内外著名专家或原书作者的后人以规范的体例进行了简体化、点校和导读，尊重大师原作，力求经得起广大读者的推敲和时间的考验，再现经典。

为了减少读者的阅读困难，我们对简体部分进行了如下处理：原书中明显的讹误及衍倒之处，我们采用径改的方式，不再出注，尽量使读者阅读顺畅；原书中有少量缺字或原字不清情况，可根据前后文补上的，我们即直接补上，不再出注，不能补充的以▱表示。

“武学名家典籍丛书”将是一个展现名家、研究名家的平台，我们希望，随着本丛书的陆续出版，中国近现代武术的整体面貌，会逐渐展现在每一位读者的面前；我们更希望，每一位读者，把您心仪的武术家推荐给我们，把您知道的武学典籍介绍给我们，把您研读诠释这些武术家及其武学典籍的心得体会告诉我们。我们相信，“武学名家典籍丛书”这个平台，在广大武学爱好者、研究者和我们这些出版人的共同努力下，会越办越好

# 导 读

中国武学历史悠久，到清末民初达到发展的高潮。如何搜集、发掘先贤前辈们对于武术研究的成果，汲取并传承其精髓，是今后武学研究面临的一大课题。在众多武学前辈中，浙江黄元秀先生的杰出贡献往往被人们忽略，其著作值得我们深入研究。

黄元秀（1884—1964），浙江杭州人。原名凤之，字文叔，中年以后改名元秀。其乃辛亥革命元老，早年曾在浙江省立武备学堂学军事，后渡东瀛，入日本士官学校深造。在日时化名山樵，与黄兴、秋瑾、徐锡麟、蔡元培、章太炎等结交，共同参与同盟会活动，回国后为光复浙江做出过极大贡献。其后参加过讨袁、护法等事，北伐时曾任总司令部少将参议等职。

1929 年秋，浙江省政府主席兼浙江省国术馆馆长张静江，邀请中央国术馆副馆长李景林将军等一干武林高手，来杭州主持全国武术表演比赛。黄元秀先生是“国术游艺大会”筹委会的成员之一，并担任了大会秘书和监察委员。

黄元秀先生

同年11月11日，黄元秀先生在其放庐居所拜师宴宾，于园中“瑞云石”前，为后世留下了民国时期武林领袖们的珍贵合影。

视其一生，黄元秀先生经历独特，集辛亥革命者、护国护法军人、北伐将领、抗日志士、书法家、佛学精修者、武学家为一身，学养高超，学力过人，勤于著述。学人评价其为好人、善人、高人和奇人。

黄元秀先生一生修武修佛，造诣极高。其整理写作的武学著作，反映出以为国为民、强国强族、复兴中华为目的的治学思想。其著作中含有大量珍贵史料和心得体会，对中国近代武学贡献卓著。譬如，他完成了武当剑大师李景林的愿望，整理出版李景林所传武当剑法；整理杨家太极拳嫡传与精华；记录了自己对武林各家的看法与心得，等等。然而，其著作流传却十分有限，如唐豪先生在民国时期出版《王宗岳太极拳经》引用参考文献时，所注的黄元秀著作只是非卖品的油印本。

为使武术研究者、爱好者得以全面认识黄元秀的武学贡献，本次出版的《黄元秀武学辑录》首次汇集了其一生主要的武学著作，包括：《武当剑法大要》（商务印书馆印刷，1931 年 7 月出版）；《太极要义（附武术偶谈）》（文信书局印行，1944 年 11 月出版）；《杨家太极拳各艺要义（附武术偶谈）》（国术统一月刊社发行，1936 年出版）；《武术丛谈续编》（1956 年油印稿）。

其中，《武当剑法大要》是李景林先生亲授的第一部武当剑专著，“元秀亲受其业，退而述成此编，呈政。师阅后曰：‘汝能记其根略，以惠同门，实吾近年所欲成而未竟之志。汝即付梓可也。’今则诲语如闻，哲人已萎。缅怀风范，不禁高山景行之思。”

直到20世纪90年代，笔者与李天骥先生再传弟子高晓光先生交流时，高晓光提到李天骥先生武当剑的自豪之情，仍历历在目。李天骥先生乃李景林传人，此外据黄元秀记载，著名武术家赵道新先生，也是李景林先生的弟子。

黄元秀在《武当剑法大要》中提到，他最初一直在寻找中国剑术，多年不遇，很是遗憾，但不信已经完全失传。后来，见识到李景林将军之剑术而投其门下，并将所学著述记载，以使其广传。武当剑技奥秘何在，为何能名震民国时期的武林，黄先生在其著作中有详解。这一著作也奠定了黄元秀在武学界的历史与学术地位。

除武当剑外，黄元秀先生的杨家太极拳也是嫡传。1937年，日本全面侵华战争爆发之前，黄元秀刊登于《国术统一月刊》的《杨家太极拳各艺要义（附武术偶谈）》，保留了其所学所知的原始杨家太极拳技艺与文献，比较全面地解释了杨家太极拳的内容与奥妙。此书开篇就是一版与众不同的《太极拳论》。这一版本究竟是什么来历，为何与其他版本不同，值得学界重视与研究。其中的太极拳拳式名目内容，与李瑞东传人于民国八年抄本中记载的传杨家谱也有不同之处。其《太极拳论》中记载的《太极拳长拳歌》，可能是民国时期与太极拳相关的著作仅见。这一内容，后来在1953年7月1日，才出现于何孔嘉先生的序言文字中，将杨健侯赠田兆麟拳谱（油印本《太极拳手册》）重提。直到近年，孟宪民先生于2015年出版《牛春明太极拳及珍藏手抄老谱》一书，将其外祖父牛春明抄于杨健侯拳谱手抄本的影印件公布于世，以《太极妙处歌》之名才又出现。

黄元秀先生武学著作的着眼点独到。他认为即便是同一门弟子之间的拳法，各传人之间也是“各有特长，各尽其妙，不能从同，亦不能强同，其中并无轩轾可分，在学者更不得是此而非彼。要知此种艺术，能立千年而不废，博得一般人士之信仰，其中确有不可磨灭之精义，令人莫测之妙用存焉。”“无论系何师，一家所传，一人所传，其动作多少，皆不能同，亦不必尽同。不仅太极拳如此，即弹腿一门有练十路者，有练十二路者。此为回教门之艺，尚且有两种之分。又若少林门各拳，有岳家手法，有宋太祖拳，此传彼授，各是其是，各非其非，惟情论总须一致，设或理论不同，则其宗派显然有别，不得谓为同门矣。”为后人纷争谁是正宗、如何辨别不同门派指点了迷津。高人高思，可见一斑。

由于黄元秀显要的社会地位，加上诸多便利因素，他可以向杨澄甫先生询问许多问题，涉及其他弟子与师父之间不便询问的事情。以其资深的武学修养、文学修养、修佛境界及军队高阶等身份，记录了杨澄甫等杨家太极高手的高深功夫，令人信服。如“杨老师顺势一扑，其手指并未沾着余之衣襟，而余胸中隐隐作痛”。为何弟子们各有特色，为何练太极者众多而成才者寥寥无几？他给出了自己的调查结果。此外诸如什么人适合什么拳，练太极重点何在，学拳慢与快的道理所在，太极与少林姿势的对应关系，以及太极拳练法、连劲、推手、散手、对打、技击，八打八不打，等等，都做了专项讲解。他还对一些门派（如零令门）加以介绍，对旧时拜师学艺仪式的流程、讲究，武林场上的各式规矩、礼范，一些门派的学艺特色，都给以详细描述，同时将历代剑侠名人悉数记载在册。黄元秀先生还在专著中述诸文字，大声呼吁：应当把概念笼统的国术称谓改为具体的武术称谓，唯此才能够准确厘清武术的专责与其他门类的分野……凡此种种，都使后人能够看到那个时代武术业清晰的样貌。

黄元秀在其武学专著中，还保存了许多武术史上的重要信息。记载了杨家传人对武家太极来历之不解；记载了杨露禅所学来自陈家沟的陈长兴，为太极拳史研究再次提供了来自杨家说法的旁证；记载了杨镜湖（杨健侯）的珍贵心得对张三丰（峰）与太极拳之关系，做了概述与探讨。

黄元秀还用生动的文笔，记载了河北一个别开生面的郝家太极拳派。其文如是说道：“太极拳，近年来风行南北，可谓国术界中最普遍之拳术，遍观各处，各人所练，各不相同，可大别为三派：一为河北郝家派。此派不知始于何祖，闻系河北郝三爷（郝山野）所传，述者忘其名，世以郝三爷称之。三爷于清末走镖秦晋间，身兼绝技，善画戟，名震绿林，镖局争聘之，实为山陕道上之雄。余见天津蒋馨山、刘子善等，皆练此拳，南方习者不多，吾师李芳宸先生南来时，其家人及同来各员，皆善此。手法极复杂，其动作较杨陈二派增添一倍，约有二百余式，表演一周，时间冗长。据吾师云：此于拳式之外，加入推手各法，故较他派手法齐备，因太繁细，颇不易记，诸君既习杨家派，其理一贯，勿须更习。余怂恿朋侪学习之，计费六十余日，不能卒业，可见其繁细矣。孙禄堂先生云：'此拳之长，极近柔顺之至。'尔时余忘索其拳谱，不知与陈杨两派之理论，有无异同也。"黄元秀的这一记载，学界并没有认识到，它为破解太极拳众多重大历史谜团，留下了一把钥匙。《武当武技与开合太极拳》作者李仁平，于2013年《武魂》发表文章介绍：……19世纪晚期，清代武术家刘德宽得世隐高人的开合太极拳，传弟子吴俊山。1910年刘德宽病故，弟子吴俊山投至李景林麾下，并与蒋馨山（1890—1982，祖籍河北省枣强县人。程派八卦掌传人。毕业于北京法政学堂后，跟随表兄李景林从戎，时任李景林奉军第一师军法处处长，直隶省军务督办署军法处处长。）关系密切。为报答李景林、蒋馨山的知遇之恩，吴俊山奉献开合太极拳，言此拳系王宗岳所传，请李、蒋二人甄别。李、蒋二人慧眼识得此拳的价值，甚是欢喜地接纳了此拳（后蒋馨山传弟子吕学铭、李允中、儿蒋炳熙等；吕学铭传弟子李仁平等；李仁平传众弟子……），由此可知有一个"述者忘其名"的神秘人物——河北郝三爷，而蒋馨山等所练之开合太极拳与河北郝三爷同脉。蒋馨山生前常说："该拳无一处不合'拳论'，是王宗岳真传无疑。"

文中说这位郝三爷"于清末走镖秦晋间，身兼绝技，善画戟，名震绿林，镖局争聘之，实为山陕道上之雄。郝三爷走镖往来于秦晋之间，一代太极拳宗师王宗岳也是山西人，有地缘上的契合以及人与人之间往来联系的可能性，由此是否可以推断郝三爷的太极拳来源于山西王宗岳一脉？开合太极拳公之于世已六代人(180 多年)。清中晚期，镖师郝三爷得武当高人传授开合太极拳，为近代第一代传承人。晚清著名武术家刘德宽（1826—1911）在山西护镖时，得郝山野传授，为第二代传承人。刘德宽传第三代吴俊山；吴俊山代师传蒋馨山、李景林、程海亭……由此推断刘德宽得自郝三爷。”

综合新发现的山西版《三三拳谱》、山西版《三三枪谱》及唐豪先生厂本《阴符枪谱》《太极拳经》合抄本等可知，王宗岳是乾隆时人、原来《阴符枪谱》分别在北平、河北、山西三地流传。乾隆年间民间流传的《山右王宗岳太极拳论》，不止被武禹襄经过其兄而得到，也被河北广平陈华（利）先生等人得到。顾氏六合通背拳传人广平陈利先生这一支，掌握的拳谱与杨家不同，如杨家并无《阴符枪谱》。另从河北顾氏传人藏谱，以及各传人的著作等看，其门内并不尊王宗岳为乾隆传祖，可知其不是王宗岳嫡传之系。陈利弟子卢氏的传谱名为《六合通背》，而非《太极拳谱》。

陈利先生得到《阴符枪谱》《山右王宗岳太极拳论》之后，最初用于补充完善自己的六合通背拳，并非太极拳。可知陈利先生之前的顾氏拳法为六合通背拳，其传人卢鸣金先生的《枪谱》也不是阴符枪。此枪法被三皇炮拳传人冠之以“赵云勇战枪”“子路枪”，河南南阳地区以“黄龙枪”称之。这些信息的共享，是又一个值得研究的大课题。

因此，陈利六合通背拳传系后与杨家交流学习，结合自己所学，将其扩充为太极长拳，拳谱文字也二者合一。此拳传人有郝三爷、刘德宽先生、陈利传人等。后人搞不清楚来源，河北广平等地传人将太极拳上推到顾氏；又见自己传谱中有张三丰的信息，便按自己的理解，认为是张三丰所传。

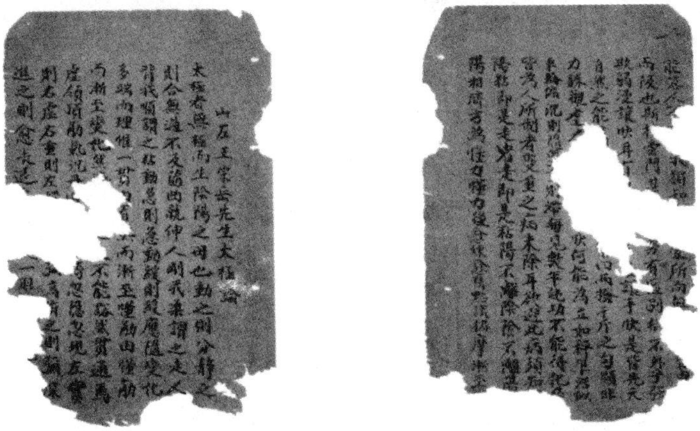

河北顾氏传人陈利传谱中《王宗岳太极拳论》的信息

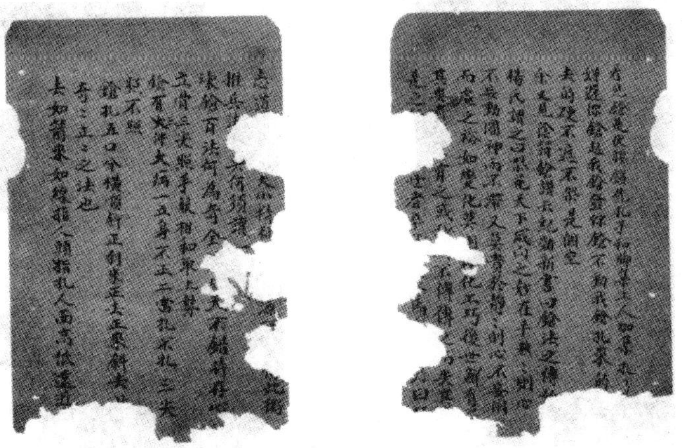

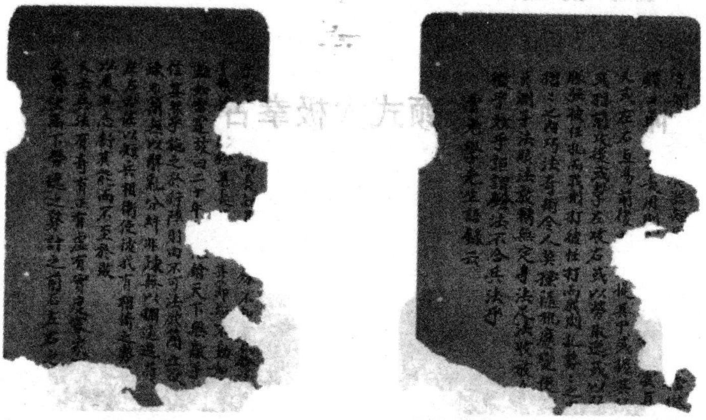

河北顾氏传人陈利传谱中《阴符枪谱》的信息

此外，吴孟侠先生民国三十三年《明武山庄武学手册之一》显示，所谓牛连元传谱并不存在，原来是王树刚传谱，也是陈利这一支的传谱。

至此，笔者得出初步结论：河北郝三爷各太极拳传系与姜容樵、姚馥春太极拳传谱相合；吴孟侠传谱与姜容樵、姚馥春太极拳传谱相合；姜容樵、姚馥春太极拳传谱与河北广平陈氏陈利传系相合；山西《三三拳谱》、山西《三三枪谱》与唐豪厂本、河北顾氏传人陈利传谱相合；乾隆时王宗岳《阴符枪谱》与《太极拳论》相合；武氏《王宗岳太极拳论》与山西、河北、北平《王宗岳太极拳论》相合。

上述发现，以及“此系武当山张三丰先师遗论”真相揭示等成果，将改写太极拳的历史，并提出新的大课题。更多相关课题及其深入探讨有待学界展开。这是黄元秀先生此书的历史价值及贡献所在。

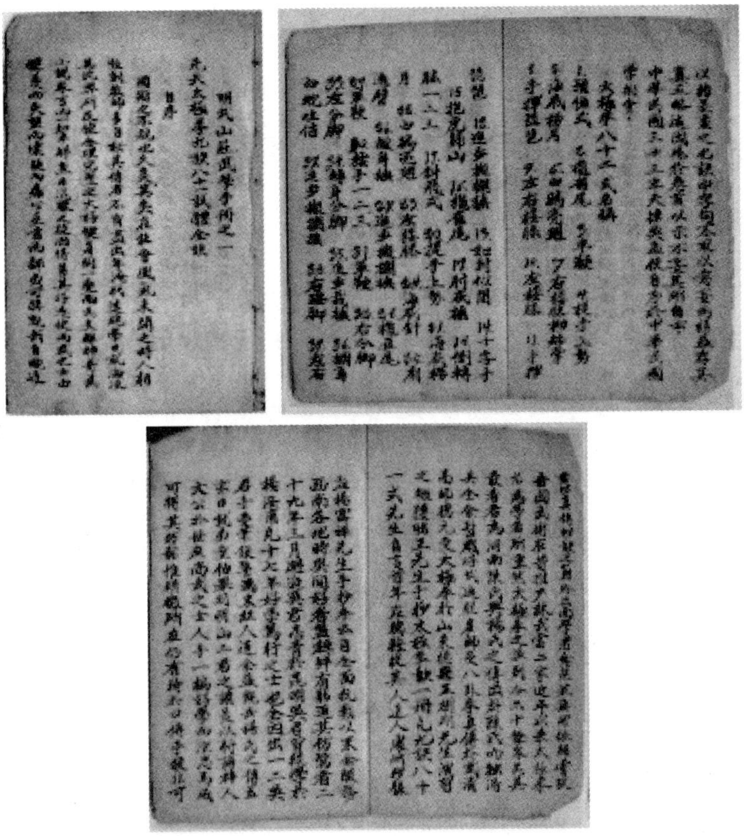

吴孟侠先生民国三十三年《明武山庄武学手册之一》原本

黄元秀先生的书是以辛亥革命过来人的历练，写光复后国人如何对待传统武术，应该如何使之发扬光大。这点与李泰慧先生著作《心一拳术》背景相同。因此，这些前辈们是真心为国家及其后代受益而著述，其心胸视野自是不同。

《太极要义》一书，是国术统一月刊社发行《杨家太极拳各艺要义》之后，第一部太极拳方面的独立出版物。表面上看，两者内容上有大量相同，但《太极要义》更加丰富的内容，正是黄元秀先生致力于武学事业、不断完善作品的反映，这也是其用心所在。鉴于刊物发行量有限，黄元秀先生经过不断努力，终于有了《太极要义》单行本。该书整理于抗日战争时期，意义特别，因物质匮乏而使用土纸出版，由文信书局印行。此书没有了《杨家太极拳各艺要义》中的刊物附带，以及其他学人的武学相关文字及历史遗迹遗物等内容，篇幅内容也有增删与不同，并有许多历史名人之序，反映出当时政要人物对武术国粹及其黄先生的重视程度。除太极拳内容外，此书另有大量传统武学的其他内容，增补了图示。无论从哪方面讲，黄元秀先生的武学专著都具有多方面的实用与学术价值，其中作序的相关人物，今日大都已成需要后人重点研究的历史人物。

晚年，黄元秀先生又总结出《武术丛谈续编》（1956 年油印稿），更新其武学心得与成果，但限于历史条件，仅在小范围公开。虽个人身份以及社会地位不断变化，但黄元秀先生将中华武学发扬光大的初心不改，世间罕见。如其 1957 年与海灯法师的交往及其留影，又为学界关于海灯法师武功疑问的争论，提供了一个佐证。

1957 丁酉年，黄山樵（黄元秀）撰《太极技艺》《武当剑法》

1960 庚子年，黄山樵撰《武当妙技》

1960 庚子年仲冬，海灯法师与黄元秀（时年七十又八）涌金公园对剑

唐豪先生、徐哲东先生等学人都曾以黄元秀先生著作为论据，考证相关课题；移居危地马拉的李英昂先生曾在《太极拳十三枪

注》中赞誉，黄元秀先生是以科学方法整理太极拳；陈炎林编写的《太极拳刀剑杆散手合编》一书，论劲、散手、太极拳表等，皆从黄先生著作而来。

遗憾的是，黄元秀先生的武术专著，除个别出版于民国时期，以前一直未能公开出版发行。大陆地区只在20世纪80年代翻印过《武当剑法大要》一书。其余都没有机会再版或翻印。部分单册《武当剑法大要》《杨家太极拳各艺要义》台湾虽有翻印，但因繁体字影响现代人的阅读兴致，其价值很难发挥，阻碍了广大读者对黄元秀先生武学著作的了解和传播，可谓遗珠弃壁。迄今为止，国内外尚没有出版过黄元秀先生武学著作合集，更没有简体版整理合集出版，这也是学界一大不足。

对黄元秀先生武学著作的首次合集出版，将会对传统武学及其相关文化的研究与继承、历史迷雾的澄清、传统武学的发扬与光大都有所帮助。无论初学者还是资深武学家，都会从这样一位独特人物的武学结晶中汲取到自己所需。这也是我们整理分享黄元秀前辈著作的初衷。

崔虎刚

于加拿大首都渥太华

武術叢談續編

# 武術叢譚續編

黃文叔先生著

山陰田宿宇敬題

# 健康之寶

丙申仲冬月

田宿宇謹題

# 武術叢談續編目錄

人生有健康之身體、然後有卓越之事功、而健康之道、由於鍛練、為一般人所共認、顧有老幼强弱之別、鍛練亦有徒手器械之異、其間復有內家外家與門户派別之殊、其道至多、宜於甲者、未必宜於乙、而最普被溫和盡人可以探討者、莫如太極一門、惟易於問津、難於深造、失之毫釐、謬以千里、此所以學者多、而精者不數數覯也、余同學黃山樵先生、為浙中宿將、自幼愛好技擊、先後師事田紹先楊澄甫諸先生、苦練有年、造詣甚深、為入室弟子、備蒙推崇、余嘗以大師兄尊稱之、先生慧根宿植、茹素學密、於武術外、能文善書、廣愛交遊、與孫祿堂張兆東杜心五劉百川諸先生研究探討、互相尊重又由李芳宸先生授傳武當劍術、有所成就、曾於公元一九三一年、研練之餘、就其所知、輯有武術叢談一書、風行甚廣、茲經及門多人、迭請續著、乃出澄甫先生當年所授拳劍刀槍各圖多幅，已以良寺閱歷經驗所得，輯成續篇，有志事業增進健康者，於良師益友外，可獲按圖參考之益。書成見示，並徵序於余。以余之淺嘗，無術可最綴言，特感於先生自利利他之本懷，情何能已，因而聊贅數語，藉以塞責云爾。

公元一九五六年夏月七六朽人沈培滋序

吾浙素以擅天下山水之勝名、鍾靈毓秀、以是代有奇傑挺生、或以文章稱、或以勛業顯、或以俠義武功著、其昭垂史册散見傳記者、蓋指不勝僂、其生於前代已為古人者吾愧未及見、徒心嚮往之而已、其生於現代、享遐齡、居林下、而巋然獨存、吾得以瞻丰采、而聆謦欬者、則有一人焉、黄山樵先生是也、先生為吾浙宿將、詩書畫俱工、並精武術、足迹遍海內、多遇異人奇士師事之、得其薪傳、而承其衣鉢、以故年逾古稀以上、遙望之猶如五十許人、雍容爾雅、粹然儒者、而內外功造詣俱深、著作充富、所謂以文章稱、以勛業顯、以俠義武功著者、先生蓋兼而有之矣、可不謂之吾浙之奇傑也哉、歲丙申、先生以所著武術叢談續篇見示、讀之、益為心折、吾三十年前、亦曾師事楊澄甫杜心五兩先生、惜囿於俗冗、淺嘗輒止、蹉跎歲月、至老無成、今讀斯篇、爾增愧矣篇中立論精深遠闢悉中竅要、非得是中三昧者、不克道其隻字、世之有志武術者誠能手此一篇沉潛玩味而身體力行之、必能悟妙得其要而蔚為名家也吾譾陋無文、復孱弱不武、愧無以副先生之望、謹聊綴數語、以誌景仰云爾古越潘逸民誌時丙申初夏

## 跋

人身一小天地、陰陽寒暑剛柔燥濕之義備焉、而動靜貴乎中節、修養貴乎有常、流水不腐、户樞不蠹、欲其動也、身如槁木、心如死灰、欲其靜也、求也退、故進之、由也兼人、故退之、人一能之己百之、人十能之己千之、欲其有常也、能中節矣、中也、能有常矣、庸也、不偏之謂中、不易之謂庸、自修身齊家、以至於治平、莫不由是、武術亦何獨不然、吾杭黃山樵先生、為浙軍名將、嫻武備

而兼文事、有雅歌投壺輕裘緩帶之風、三略六韜、九流百氏、罔不賅博、年躋耆耋、歸老湖山、出其餘緒、著為武術叢談上下編、涵蓄湛深、詞旨明暢、所以啟發後進者、至誠且篤、予得而展讀之、竊歎其用力之勤、潛持之密、為不可及也、予不諳養生術、惟日常起居飲食、行止坐卧、出作入息之間、適可而止、不戀既往、不企未來、不求分外、與山樵之說、蓋有不謀而合者、故行年六十有五、碩健猶若成童、然以視山樵之清靈嬌逸、則瞠乎後矣、夫強國必先強種、強種必先強身、山樵此冊、示吾人以動止運行之準則、安得人手一編、為東亞病夫解嘲於全世界也、敢以數言、介於學者、至其授受之源流、鍛鍊之家數、沈潘兩序、已詳言之、故不贅述云、丙申初冬、同里後學蔣絅裳

余少有羸疾、百藥難瘳、年十五、延同里黃韋聲先生授課、先生慮余體弱、出

家藏八段錦易筋經舊鈔珍本，並授以習練方法，而先慈鍾愛逾恒，勿許，乃于每晨潛待數月無間，胃納驟進，日須五餐，轉弱為強，繼又授以走陝板、打砂包等武術，行之未久，拳平步健，膂力勝儕輩，惜是歲仲冬，親命授室，自此輟學，壯乃奔走于衣食，今年逾花甲，尚無衰象，實得力於此，感念黄師，究同再造，中心耿耿，未報深恩於萬一，引為恨事，近識吾浙武術專家黄山樵先生，得暢聆其軼事，適知八段錦，為達摩祖師所傳，內練精氣神，外練筋骨皮，確能脫胎換骨，余昔得此，未能深造，所謂入寶山而空回，豈不大可惜哉，今讀其所著武術叢談上下編，理論精闢，可為實踐津梁，真能無師自通，不致盲修瞎練，增益身心，世不乏有志武術者，幸勿交臂失之，蹈吾前轍焉，丙申冬十一月下浣紹興後學田宿宇謹識

# 太極拳論

未有天地以前、太空無窮之中、渾然一氣、乃為無極、無極之虛氣即為太極之理氣、太極之理氣即為天地之根荄。化生人物、始初皆為化生、一生之後化生者少、形生者多。如木中生虫、人之生虱、皆屬化生、若無身上汗氣、木無朽氣、如何得此根荄、可見太極之理氣、即是天地之根荄（疑有遺漏）

一舉動週身俱要輕靈、尤須貫串、氣宜鼓盪、神宜內斂、無使有凹凸處、無使有斷續處、其根在于脚、發于腿、主宰于腰、形于手指。由腰而腿而腰、總須完整一氣、向前退後、乃得機得勢。有不得機不得勢處、身便散亂、其病必于腰腿求之。上下前後左右皆然、凡此皆是意不在外面。有上即有下、有前即有後、有左即有右、如意要向上即寓下、意若將物掀起、而加以挫之之意、斯根自斷、乃壞之速而無疑虛實宜分清楚。一處有一處虛實、處處總此一虛實、週身節節貫串。毋令絲毫間斷耳。

## 王宗岳先師拳論

太極者、無極而生陰陽之母也、動之則分、靜之則合、無過不及隨屈就伸、人剛我柔謂之走、我順人背謂之粘、動急則急應、動緩則緩隨、雖變化萬端、而理惟一貫、由着熟而漸懂勁、由懂勁而階及神明、然非用力之久不能豁然貫通焉。虛靈頂勁、氣沉丹田、不偏不倚、忽隱忽現、左重則左虛、右重則右杳、仰之則彌高、俯之則彌深、進之則愈長、退之則愈促。一羽不能加、蠅虫不能落、人不知我、我獨知人、英雄所向無敵、蓋由此而及也、斯技旁門甚多、雖勢有區別、概不外壯欺弱、慢讓快耳。有力打無力、手慢讓手快、是皆先天自然之能，非關學力而有為也。察四兩撥千斤之句，顯非力勝，觀耄耋能禦衆之形，快何能為。立如平準，活似車輪，偏沉則隨，雙重則滯，每見數年純功，不能運化者，率自為人制，雙重之病未悟耳。若欲避此病，須知陰陽，粘即是走，走即是粘，陰不離陽，陽不離陰，陰陽相濟，方為懂勁，懂勁後愈練愈精，默識揣摩，漸至從心所欲。本是捨己從人，多誤捨近求遠，斯謂差之毫釐，謬以千里，學者不可不詳辨焉。長拳者，如長大海，滔滔不絕也。十三勢者，掤攦擠按採挒肘靠，此八卦也，進步退步左顧右盼中定，此五行也。掤攦擠按，即坎離震兌四正方也，採挒肘靠，即乾坤艮巽四斜角也，進退顧盼定即金木水火土也。此論句句切要，並無一字敷衍陪襯，非有宿慧，不易悟也。先師不肯妄傳，非獨擇人，亦恐枉費工夫耳。

## 十三勢行功心解

以心行氣、務令沉着、乃能收斂入骨、以氣運身、務令順遂、乃能便利從心、精神提得起、則無滯重之虞、所謂頂頭懸也、意氣須換得靈、乃有圓活之妙、所謂變轉虛實也、發勁須沉着鬆淨、專注一方、立身須中正安舒、撐支八面、行氣如九曲珠、無微不到、運勁似百煉鋼、無堅不摧、形如搏兔之鶻、神如捕鼠之貓、靜如山岳、動若江河、蓄勁如開弓、發勁如放箭、曲中求直、蓄而後發、力由脊發、步隨身換、收即是放、放即是收、斷而復連、往復須有摺疊、進退須有轉換、極柔軟、然後極堅剛、能呼吸、然後能靈活、氣以直養而無害、勁以曲蓄而有餘、心為令。氣為旗。腰為纛。先求開展、後求緊湊、乃可臻於縝密矣、又曰先在心、後在身、腹鬆淨、氣斂入骨、神舒體靜、刻刻在心、切記一動無有不動一靜無有不靜、牽動往来、氣貼于背、斂入脊骨、內固精神、外示安逸、邁步如貓行、運勁似抽絲、全身重在精神、不在氣、在氣則滯、有氣者無力、無氣者純剛、氣如車輪、腰似車軸、

## 十三勢歌

十三總勢莫輕視、命意源頭在腰胯、變轉虛實須留意、
氣遍身軀不可滯、靜中觸動動猶靜、因敵變化示神奇、
勢勢揆心須用意、得来不覺費工夫、刻刻留心在腰間、
腹內鬆淨氣騰然、尾閭中正神貫頂、滿身輕利頂頭懸、
仔細留心向推求、屈伸開合聽自由、入門引路須口授、
工夫無息法自修、若言體用何為準、意氣君来骨肉臣、

想推用意終何在、益壽延年不老春、歌兮歌兮百四十、字字真切義無遺、若不向此推求去、枉費工夫貽歎息、

## 推手歌

掤擴擠按須認真、上下相隨人難進、任君巨力来打咱、牽動四兩撥千斤、引進落空合即出、拈連粘隨不丢頂、

## 大擴約言

我擴他肘、他上步擠、我單手擠、他轉身擴、我上步擠、他進體、我再擴、他上步擠、

## 楊鏡湖先生約言

曰、輕則靈、靈則動、動則變、變則化。

# 太極拳名稱

1 預備式 太極（起）勢　2 攬雀尾　3 單鞭　4 提手上勢

5 白鶴亮翅　6 左摟膝拗步　7 手揮琵琶　8 左摟膝拗步

9 右摟膝拗步　10 左摟膝拗步　11 手揮琵琶　12 左摟膝拗步

13 進步搬攔捶　14 如封似閉　15 [redacted]十字手　16 抱虎歸山

17 攬雀尾　18 斜單鞭　19 肘底看捶　20 左右倒攆猴

21 斜飛勢　22 提手上勢　23 白鶴亮翅　24 左摟膝拗步

25 海底針　26 蟾通背　27 [redacted]劈身捶　28 進步搬攔捶

29 上勢攬雀尾　30 單鞭　31 雲手　32 單鞭

33 高探馬　34 右左分脚　35 左分脚　36 轉身蹬脚

35 37 右左摟膝拗步　36 進步栽捶　37 轉身撇身捶（翻身）　38 進步搬攔捶

39 右蹬脚　40 右（左）打虎勢　41 右蹬脚（回手）　42 雙風貫耳

43 左蹬脚　44 轉身右蹬脚　45 進步搬攔捶　46 如封似閉

47 十字手　48 抱虎歸山　49 攬雀尾　50 斜單鞭

51 右左野馬分鬃　52 右野馬分鬃　53 左野馬分鬃　52 上步攬雀尾

53 單鞭　54 ~~左右~~ 玉女穿梭　55 上步攬雀尾　56 單鞭

57 ~~左右~~ 雲手　58 62 單鞭　59 63 斜身下勢　60 64 右左獨立金雞

61 65 ~~左右~~ 倒攆猴　62 66 斜飛勢　63 67 提手上勢　64 68 白鶴亮翅

65 69 左摟膝拗步　66 70 海底針　67 71 蟾通背　68 72 ~~轉身撇身捶~~

69 [illegible]　70 74 進步搬攔捶　71 75 上步攬雀尾　76 72 單鞭

73 77 右左雲手　74 78 單鞭　75 79 高探馬（撲面掌）　76 80 轉身右蹬脚

77 81 左摟膝指襠捶　78 82 上勢攬雀尾　79 83 單鞭　80 84 斜身下勢

81 85 上步七星　82 86 退步跨虎　83 87 轉身變擺蓮　84 88 彎弓射虎

85 89 上步搬攔捶　86 90 如封似閉　87 91 十字手　88 92 合太極

（攬雀尾中動作即是掤擴擠按四動作）

## 太極劍名稱

三環套月　魁星勢　燕子抄水　左右邉掃

小魁星　燕子入巢　靈貓捕鼠　鳳凰點頭

黄蜂入洞　鳳凰右展翅　小魁星　鳳凰左展翅

釣魚勢　左右龍行勢　宿鳥投林　烏龍擺尾

青龍出水
野馬跳澗
順手推舟
挑簾勢
鳳凰點頭
犀牛望月
左右飡盤
玉女穿梭
仙人指路
抱劍歸原

風捲荷葉
勒馬勢
流星趕月
左右車輪
海底撈月
射燕勢
射燕勢
白虎攪尾
朝天一柱香

左右獅子搖頭
指南針
天馬飛瀑
燕子啣泥
懷中抱月
青龍現爪
白猴獻果
魚跳龍門
風掃梅花

虎抱頭
左右迎風打塵
燕子啣泥
大鵬展翅
哪吒探海
鳳凰雙展翅
左右落花勢
左右烏龍絞柱
牙笛勢

## 太極劍歌

劍法從來不易傳。直來直去是幽玄。若仍欺我如刀割。笑死三丰老劍仙。

註 劍法有十三勢、其中以乘機而刺、順勢而帶、此兩法是最難練。而對方最難避。學者須練勁至劍尖。方合此法。其詳見武當劍法。

## 太極刀名稱歌

七星跨虎交刀勢、騰挪內張意氣揚、左顧右盼兩分張、白鶴展翅五行掌、風捲荷花葉底藏、玉女穿梭八方勢、三星開合自主張、二起脚來打虎勢、披身斜掛脚鴛鴦、順手推舟鞭作篙、下勢三合自由招、左右分水龍門跳、卞和携石鳳還巢、吾師留下四方讚、口傳心授不能忘「攔。斫。剁。劃。截。刮。撩。挖。」

太極黏連槍（太極十三槍之初步四槍法。其執槍步位。與普通槍法同。）

甲頭一槍進步刺心、 甲二槍進步刺腋、 甲三槍進步刺膀、 甲四槍進步刺喉、 註此名四粘槍。甲前進時照上法粘連乙槍而刺。 乙粘連甲槍而退。到第四槍甲刺喉止。 再由乙前進刺甲之心腋膀喉而甲粘乙槍後退至第四槍止。於是更番交換練習之。（其詳見下圖）最注意者、甲乙二人之槍不分不丢、始終粘連。續編各圖、僅註名稱、而無動作說明、蓋凡百技擊必須經師面授、再三指示、方可學習、決不能無師自通、照書擬作、而圖不可少。見圖可知大概形狀、較之字裏行間所說、清楚多矣、

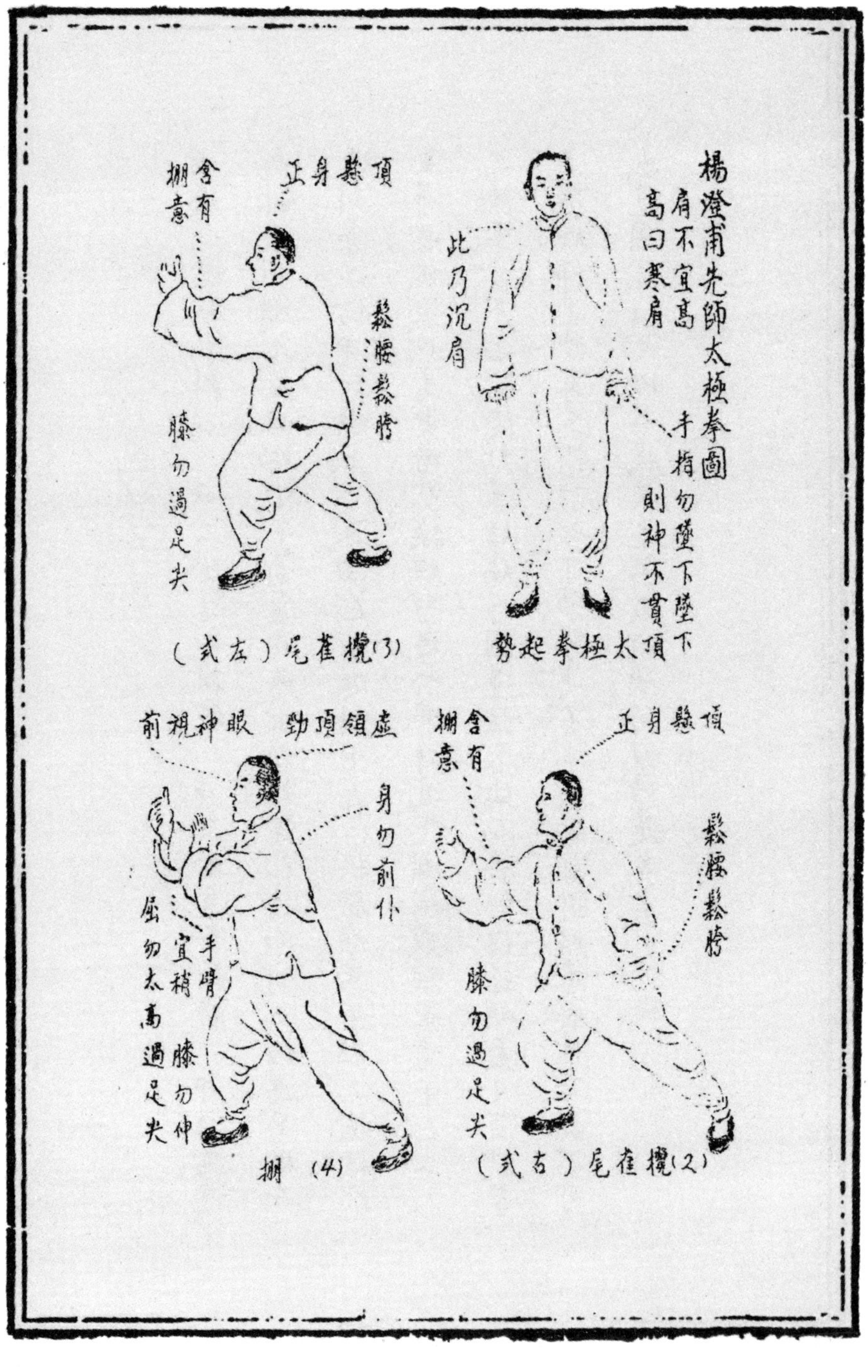
楊澄甫先師太極拳圖
肩不宜高 高曰寒肩
此乃沉肩
手指勿墜下 墜下則神不貫頂
太極拳起勢
頂懸身正
含有掤意
鬆腰鬆胯
膝勿過足尖
(3)攬雀尾(左式)
頂懸身正
含有掤意
鬆腰鬆胯
膝勿過足尖
(2)攬雀尾(右式)
虛領頂勁
眼神視前
身勿前仆
手臂宜稍屈勿太高
膝勿伸過足尖
(4)掤

太出勁易過鬆失去重心
按 (7)
太短不易出勁易斷過長
擴 (5)
太高勁偏
膝彎重心下易坐
單鞭 (8)
過高上身易出而不沉肩
擠 (6)

(9)提手上勢

（左式）摟膝拗步

(10)白鶴涼翅

(12)手揮琵琶

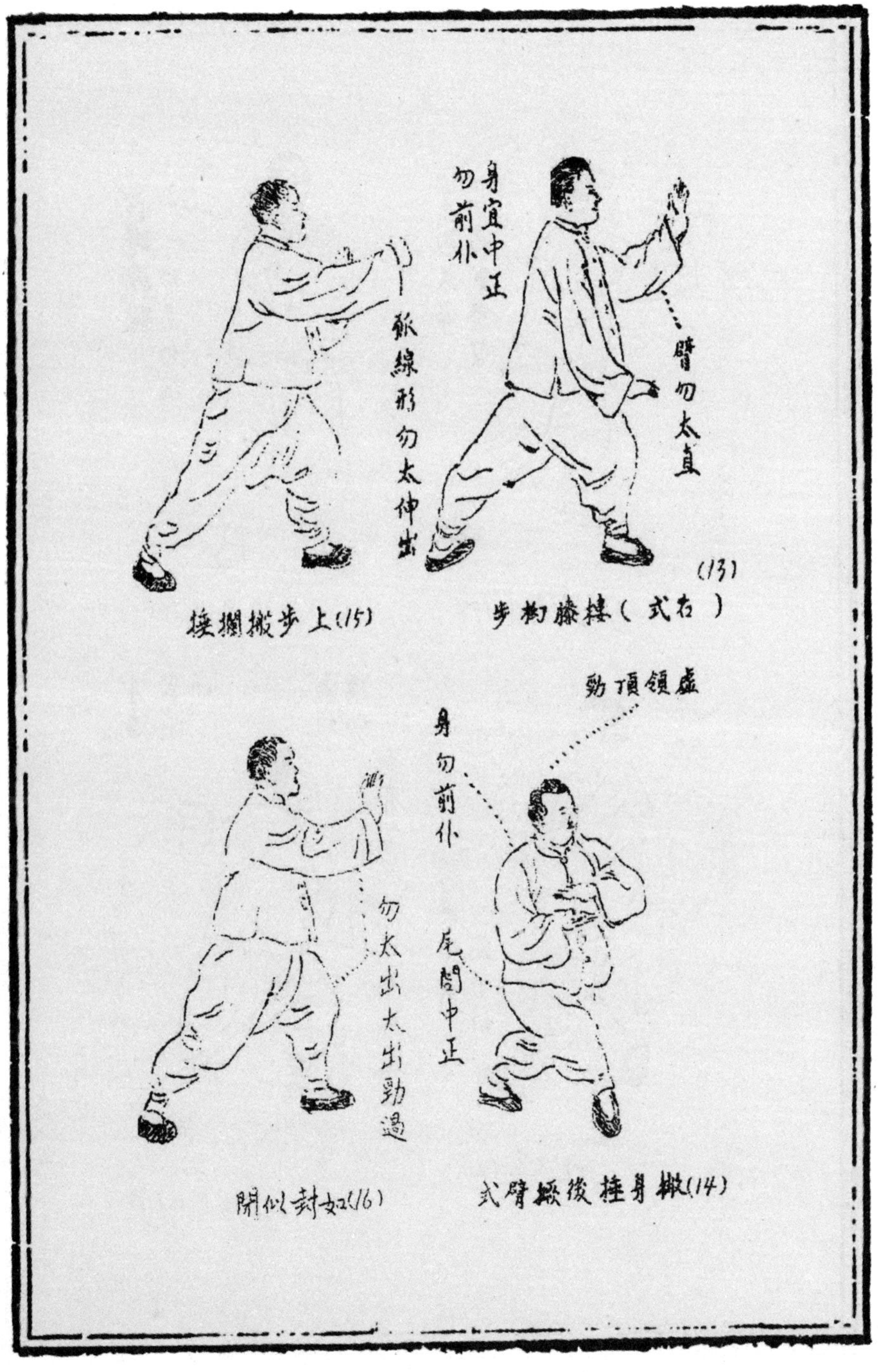


(13) 摟膝拗步（右式）

(15) 上步搬攔捶

(14) 撇身捶後撅臂式

(16) 如封似閉

身勿太偏
偏則勢背
(19)抱虎歸山(三)
手與胸齊
勿高勿低
(17)抱虎歸山(一)
虛領頂勁
身勿太前仆
兩肩宜沉
手勿過低
抱虎歸山(二)
肘與膝齊
勿偏勿斜
肘底捶(20)

(21)倒攆猴（右式）

(22)倒攆猴（左式）

(23)斜飛式

(24)海底針

扇通背(25)

轉身撇身捶(一)(26)

轉身撇身捶(二)27

進步搬攔捶(28)

(一)手雲(29)

(二)手雲(30)

(三)手雲(31)

高探馬(32)

身勿太偏
左分脚(一)(35)
身勿前仆
右分脚(一)(33)
足尖向前
手足势平
身勿太往后
左分脚(二)(36)
右分脚(二)(34)

轉身蹬腳(37)

右摟膝拗步(38)

右摟膝拗步(39)

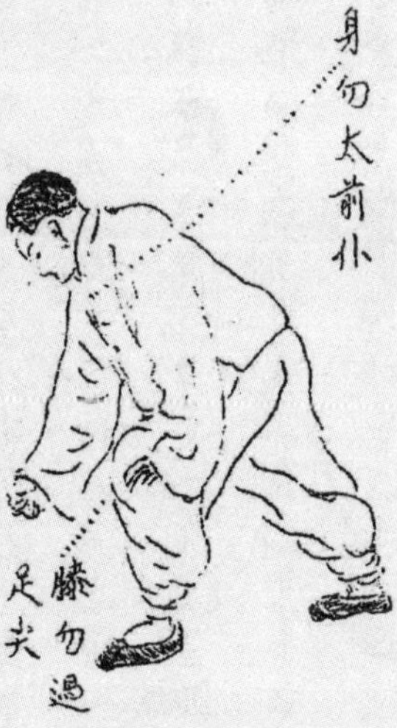


進步捶(40)

脚踢右(43)　(一)捶身撇身轉(41)

虎打左(44)　(二)捶身撇身轉(42)

左踢脚(47)
右打虎(45)
轉身蹬脚(48)
雙風貫耳46

手勿太直太高
身勿太偏
膝勿□出足尖
(51)野馬分鬃(左式)
後手勿過高
身宜中正
勿前仆
(49)橫單鞭
手勿太直
膝勿過足尖
(52)玉女穿梭(一)
手勿太直太高
膝勿伸出足尖
(50)野馬分鬃(右式)

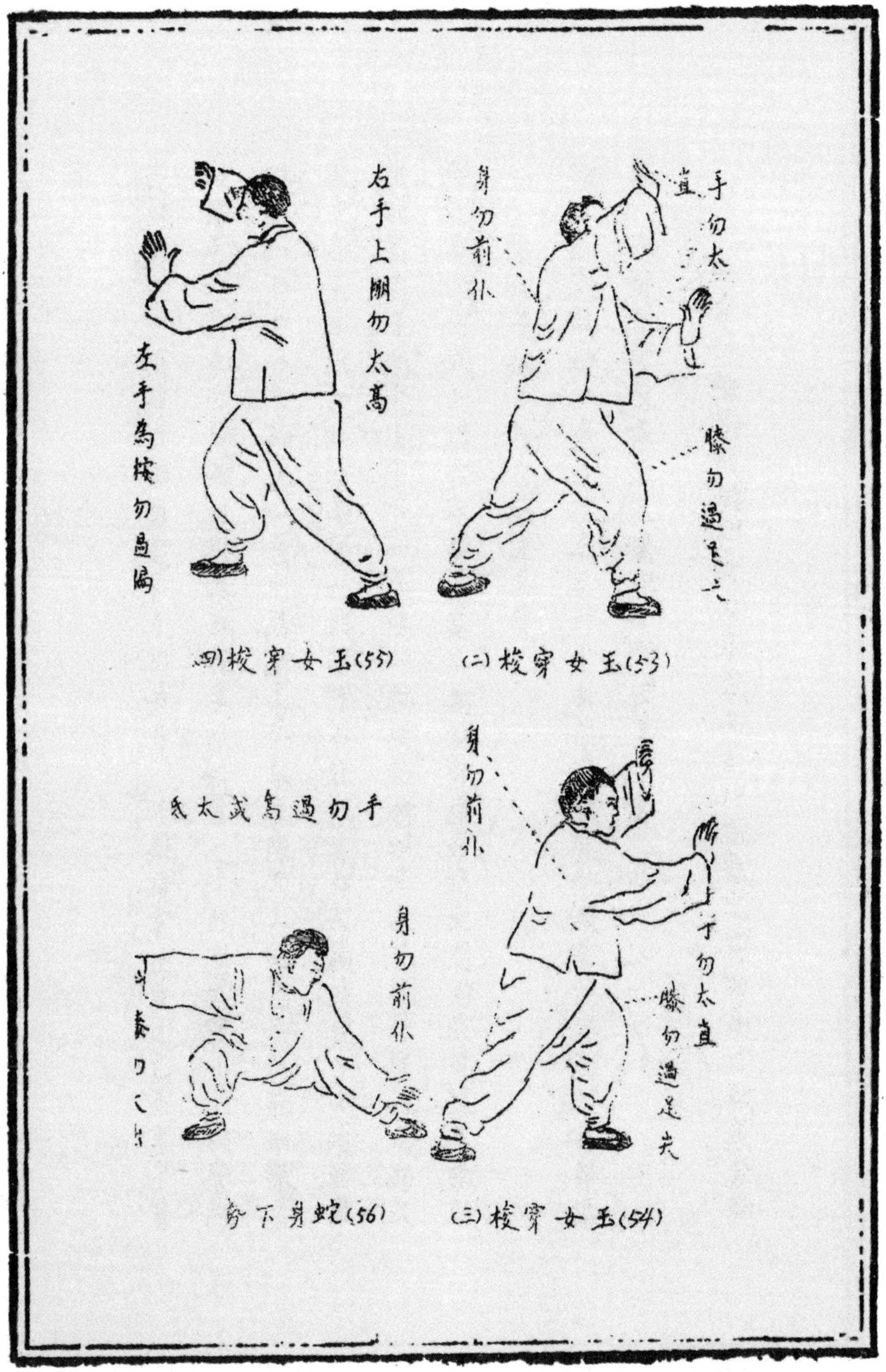


玉女穿梭（四）(55)　玉女穿梭（二）(53)

蛇身下勢(56)　玉女穿梭（三）(54)

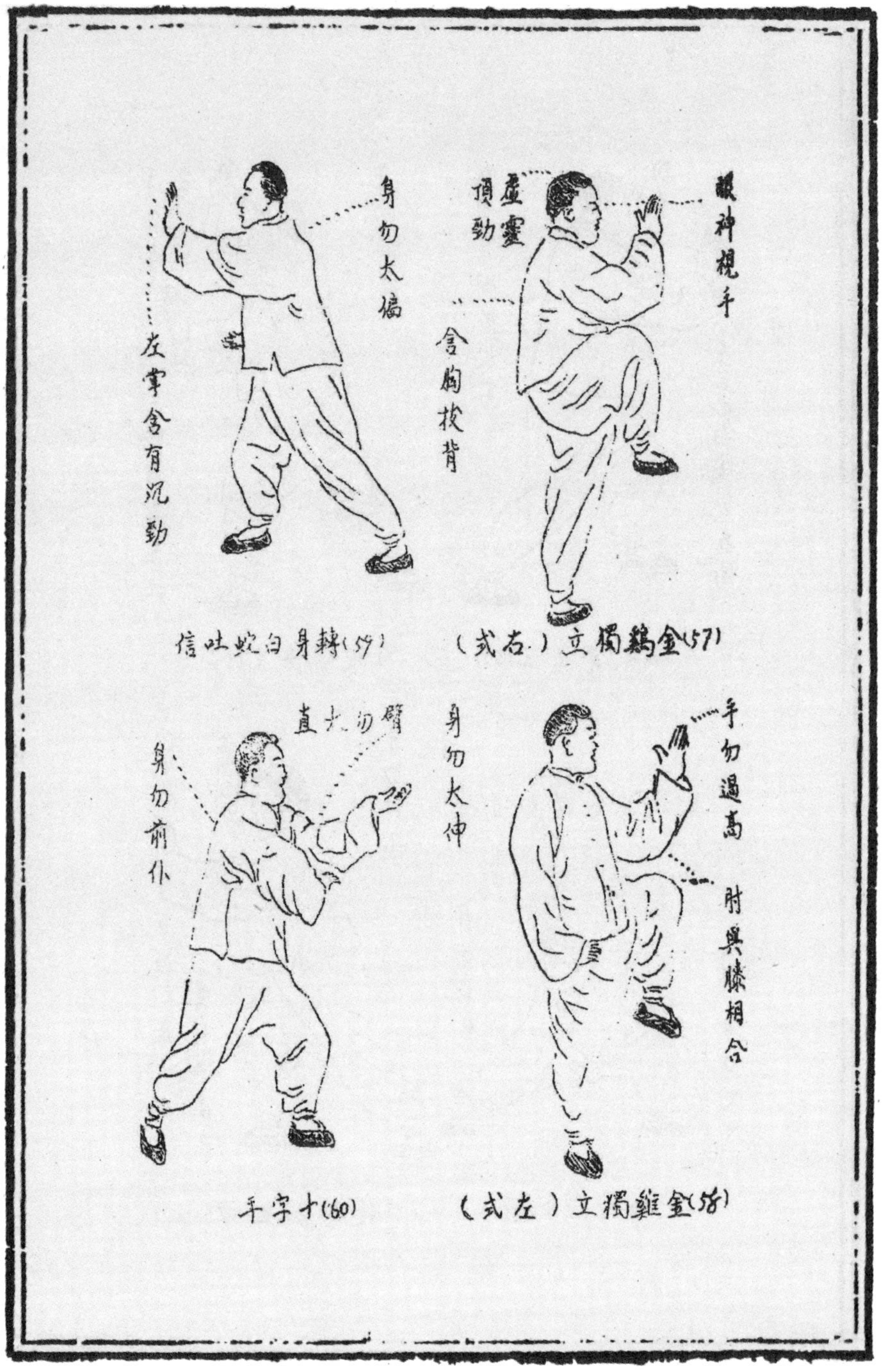
身勿太偏
左掌含有沉勁
轉身白蛇吐信(59)
虛靈頂勁
眼神視手
含胸拔背
金鷄獨立(右式)(57)
臂勿太直
身勿前仆
十字手(60)
身勿太伸
手勿過高
肘與膝相合
金雞獨立(左式)(58)

轉身十字腿(61)

摟膝指襠捶(62)

上步七星(63)

退步跨虎(64)

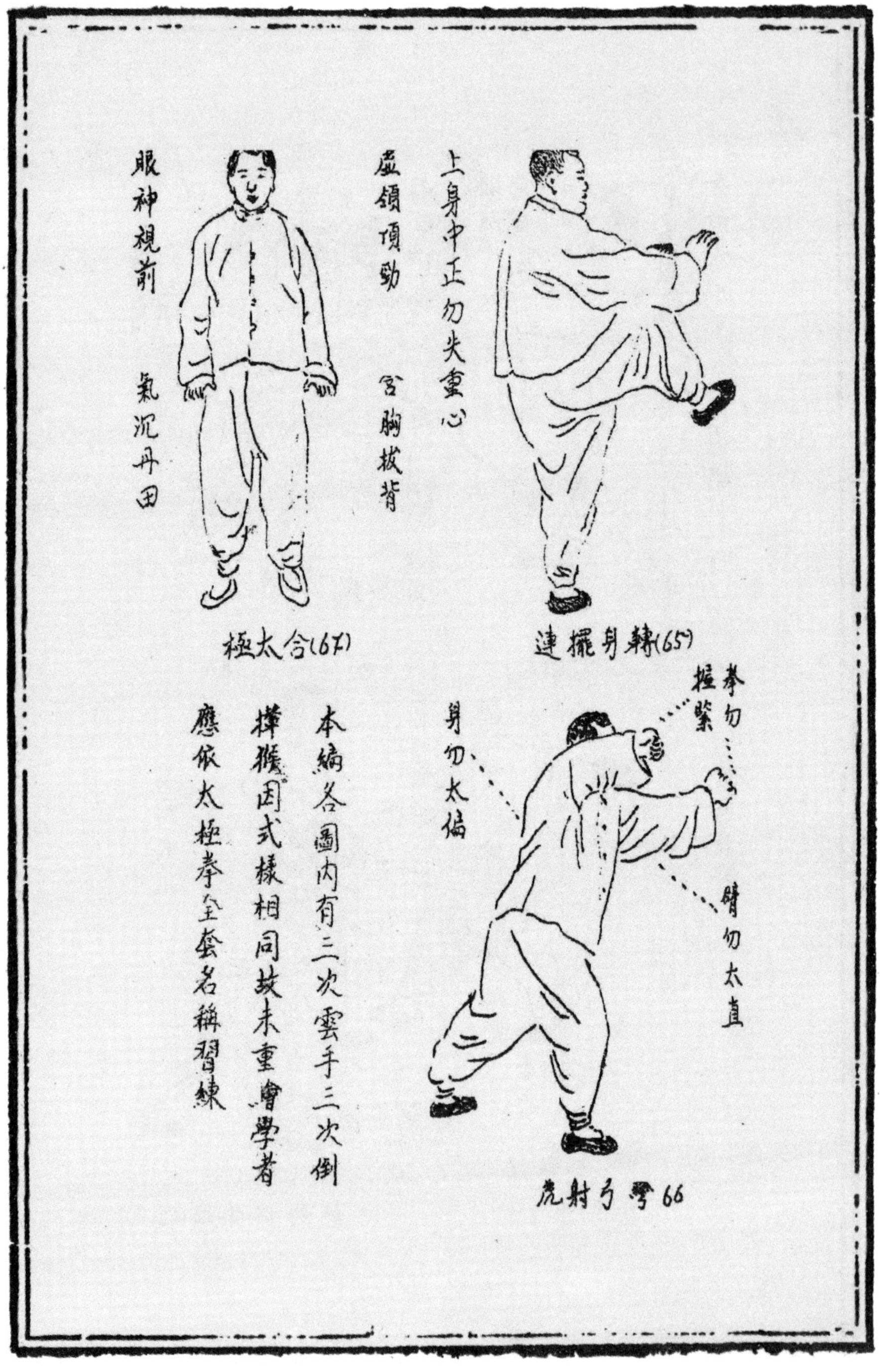
上身中正勿失重心
轉身擺蓮(65)
虛領頂勁
含胸拔背
眼神視前
氣沉丹田
合太極(67)
拳勿握緊
身勿太偏
臂勿太直
彎弓射虎66
本編各圖內有三次雲手三次倒
攆猴因式樣相同故未重繪學者
應依太極拳全套名稱習練

摟膝拗步
馬步站樁式
倒攆猴
倸腿式

練武術之根本學習、（為師者不可不從此學起）

拳師之根本功夫、至少練(一)站樁、(二)壓腿、(三)走矮步、站樁、不站樁、腰腿沒有根、站立不穩、即前圖上四式（至少四式、）壓腿擱腿遊腿、非如此則腿踢不高、蹬腿不直、沒有勁、普通踢蹬至少腳尖要踢到鼻尖、深一點工夫到嘴唇、再深到下頷、吾師海燈和尚腳背可以貼頭頂、平時常走矮步、其形狀彷彿太極拳中摟膝拗步、前進而行、環行直行皆可、但忌腳步有响聲、腰背要直、不可灣腰曲背、不走矮步、練拳出步不快、襠與胯不能鬆下、就是身法不好、非但沒功架、即運動筋骨說、亦少一部分運動也、以上所說、無論武當門少林門一切練武術者皆從此學起、這是最起碼條件、尚有各專門工夫、限於篇幅、不多及練武藝與做廣播操徒手體操等等不同、皆有特別傳授、克苦學習、極盡堅毅忍耐工夫、例如漢時張良圯上遇黃石公、三進其履、而得其書、諸葛武侯、在山中師事高僧三年、而得天文地理行軍治國之學、出將入相、為一代宗人、（梵天廬叢話載）古來名臣良將、其所以成豐功偉業者、皆由積學而成、並非偶然獲得、尤其是對於師長之侍奉、必須敬師重道、如岳武穆王、幼年學藝時、極尊敬其師、迨其師逝世、稟明尊人、為師服孝三年、師故後、尚如此追念、其生前之尊敬可知、故岳王立功衛國、由其武術超群、實得師特別傳授也、須知為師者、功夫得來不易、皆由苦練而成、當然不肯輕易授人、故為徒者、務必極盡恭敬孝順之道、方冀業師之特別傳授、應知教與傳不同、教者普通之學習、傳者另有特別功夫、非尋常之指教也、功夫與工夫不同、工夫指每日練習而言、如木作農夫之每日作工、至功夫二字、是某種技藝練到生出功效、在任何場合、任何時間、皆能不失功效、例如晚清董老公、他是八卦門名師、原係太監出身、迨臨命終時、徒弟為其換褲、他已不能言、而心中不願、兩手一托、其徒送出窗外、已到絕命斷氣時、其功夫尚在、真可謂成功者矣

練武藝、必須深究理論、克苦實踐、理論有書面記錄、有口頭傳述、書面記錄者、俗稱拳譜、口頭傳述者、江湖上稱為春點、即是口訣、所謂「能教千般藝、莫教一口春」、所謂得訣不得訣、若得訣、事半功倍、不得訣、枉費工夫、遺太惜、太極拳論）理論即是技藝中先進經驗之記錄、也是歷代先師經驗之結晶、俗語云、要知山下路、須問過來人、實踐即是技藝中之工作、即是理論上之

實踐，一而二，二而一，兩者不可缺一，否則，便是盲修瞎練，目前不見損傷，日後必生疾病，深願有志青年，三復斯言，

為師者如遇相當可造之才，必須盡心傳授，大將軍弁莫堯書房聯曰，誤人子弟，天誅地滅，薄待師傅，男盜女娼，是聯極盡師弟之情誼矣，

上列各節，前篇已詳論，今再複述者，願學人勿誤入歧途，為師者勿深閉固拒而勿傳也，

定步單手推手圖

單按式之一 (1)

單按式之二 (2)

雙手平圓沾黏推手法

定步推手甲掤式　(2)定步推手甲擠式

(5) 定步推手甲化式

(3) 定步推手擠式

(4) 定步推手甲按式

## 活步推手

在定步推手練至腰腿均可沾黏連隨身法步法咸能和順自然隨機應變無然毫拙力後進一步乃練活步推手、使週身上下一致在動步時、能化人發人、練法初時兩人盤圓圈、使手足前進後退左顧、右盼、中定、皆能合拍、快慢平勻、萬不可手快足慢或手慢足快、亦不可足未到而手先到、或手未到而足已到、其步法亦如定步推手、合步順步均可、例如甲乙兩人對立、各將右足踏前一步、甲雙手按乙右手肱部、同時右足提起向前踏進半步乙被按後即坐腰鬆胯坐腿向後化之同時右足向後退半步、（此為右式左式亦同）甲按勢將盡後以左足　前一步或攻或守再將右足上前一步或擠或按乙化甲或擠或按後右足向前踏出半步雙手按甲右手肱部甲坐腰鬆胯坐腿、向後化之、同時左足向後退半步、總之、進者為二步半、退者亦為二步半、二人掤、攌、擠、按、化、一如定步推手、須式式分清、隨勢應用、此乃初步練習方法、藝深者可不拘步數、至於楊家老式活步推手、其進退步法與上述者不同、前步進者、後步并上、後步退者、前步後收、進退二步、或四步、或六步均可、惟皆須以腰腿為主動樞紐、動步宜分清虛實、（倘二人為順步者、則進者之第一步、當置於退者足之外側面、）一切動作、較上述為難、活步推手、除身體中正、虛領頂勁、含胸拔背、沉肩垂肘、氣沉丹田、尾閭收住、鬆腰鬆胯、週身一致外、至有相當程度後、於內部氣之呼吸、亦當注意、惟初練時、祇求自然可矣、不必顧及、因外式尚未純熟故也、內部氣之呼吸、可參閱卷一第九頁太極拳中氣之呼吸及運氣法章內活步推手、除練腰腿手足上下一致外，尚能使氣分延長，〻身耐勞，此乃補定步推手之不足，而活步推手亦分高中低三種架子，初步練高架子，次練中架子，後練低架子，依次練熟後，復須同時練習此三種架子，在活步推手時，除前進後退左顧右盼意氣相合，眼神注視外，對於中定，尤須加以注意，否則不能化人發人，且〻之重心易失，故太極拳老譜中云「退圈容易進圈難，不離腰腿後與前，所難中土不離位，退易進難仔細研，此為動功未站定，使身進退並比肩，能如水磨催急緩，雲龍風火相周旋，要用天盤從此滅，久而久之出天然」由此可見活步推手之重要矣，至於詳細動作，則非經教者之口授心傳不可，

定步大捋圖

掤

在敵閃己，或纏〻，或按己手時，用摟腿顯以臂掤〻

**攌** 在敵閃己面、或按己肱部時、用腰腿勁攌其閃手之臂

**擠** 在將攌時、己若不用攌、或閃來勢、可變為擠

**按** 在敵靠己後、用手法、步法、身法、上下一致、上步雙手變按

**採** 在攌敵時、執敵之手腕、以腰腿勁往下採之、

**挒** 在採後或攌後、用腰腿勁、以手背向敵頸間斜擊之、

**肘** 在敵攌己時、被攌之手臂、可變為肘、肘可擊敵之心窩部、其勢甚猛、惟不善用者、易於傷人

**靠** 在敵攌己時、以被攌手臂之肩、上步靠敵心窩、靠在大攌中、雖知者甚多、惜手多用之不得其法、如距離過遠、或太近、均不能得勢、過遠則衝撞、太近則勢閉、故靠時己身須中正、脚步插入敵人襠中、兩肩平沉、勿

一髙一低，用腰腿勁加以意氣向前往下靠之，其勁為寸勁，或分勁，

閃　在攦敵後防敵靠己，隨以手掌閃其面部

攦　在攦敵時，一手執敵手腕，一手肱部用腰腿勁，攦部敵攦手之肘部，隨

並俯身往下，向前攦沉其臂，

總之，無論何式均須合太極拳基本要點，即虛領頂勁，含胸拔背，沉肩垂肘，坐腰鬆胯，尾閭中正，上下一致，他如腰腿勁加以意氣及眼神注視，尤為大攦中之主要原則，此外尚有一點，不可不注意者，即大攦時，雙手必須與敵相黏（至少一手如此，）否則勁斷，易為敵乘隙而入，而己亦不能知敵之動路矣，又兩手必須互相衛護，如在靠敵時，另一手須附於靠手之肘彎內部，以防敵之攦臂，或閃面部，如在挒時，另一手則須拿住敵近己身之手腕

否則乙未捌敵而反為敵以肘擊乙心窩凡此類詳細切要關鍵非經名師口授不可至於大攦中氣之呼吸可參閱卷一第九頁太極拳中氣之呼吸及運氣法章內

至大攦之方法大抵可分為二一為助作方向皆固定者一為動作方向不固定者（即可自由之意）

大攦甲掤式（1）

大攦甲攦式（2）

(3) 大攦甲閃式

(4) 大攦乙按式

活步大攦圖

八攦甲擠式

大攦甲採式 (6)

（Y）大攦甲横挒式

○、大攦乙肘闭式

式棌甲攦大 (9)

式撅乙攦大 (10)

## 太極劍

太極劍與武當劍（參看陳氏拳譜武當劍法大要

太極劍、亦稱十三勢劍、有十三字訣、抽、帶、提、格、擊、刺、點、崩、攪、壓、劈、截、洗、為楊家晚年著名武器之一、劍式姿勢美觀、用法奧妙、動作全以腰腿為主、不離乎太極拳之原則、動術齊、發宜虛領頂勁、含胸拔背、沉肩垂肘、鬆腰活腕、氣沉丹田、勁由脊發、惟此劍易學難精、凡初學之人、於未有深功時、貿然練習、泰半有強拗斷離、姿勢欠美等現象、斯皆因腰腿無功、不明用法所致、本編為使學者確實了解起見、特在敘述太極劍動作與用法前、略將劍之正義稍加闡明、俾愛好此道者、有徑可蹤、而免誤入歧途之虞、夫劍（除尖刃外為兩面有口利器、不分正反面、兩面均可使用、銳利異常、用者萬不可以手抽拉、或貼靠身體、或盤頭攔腰、否則人未受損、而己已受傷矣、是以用劍必須週身輕靈動作敏捷、精神提起、上貫於頂、呼吸自然、眼視劍尖、使精氣神與劍合而為一、手之執劍、須輕鬆靈活、不可以五指握之太緊、有礙活用、祇須以大指中指及無名指、三指執之、其食指與小指、宜時常鬆開、而掌中亦當空虛、如執筆狀、其出劍、內勁起於丹田、隨之由背、由臂達於劍尖、發時如矢之赴的、勇往直前、人劍微動、而己劍已到、夫如是然後可以出神入化、語用劍之妙、盡劍法之長、至劍之效用、最著者乃在攻人之腕、(手腕)在與人武器交手時、設能首劍其腕、則對方所持武器、即失其效用、古代藝高者之名劍、在劍首一、二寸處、鋒口必非常銳利、蓋即以之能攻人之腕、刺人之心、刺人之膝也、此外對於劍鐔、(即劍柄尾部)、亦當注意、務使另一手常置鐔後、勿越過鐔前、俗云、「單刀看手、寶劍看鐔、」學者能明乎此、則大疵

可免焉、

## 太極劍名稱

(一)起勢 (二)上步合劍式 (三)仙人指路 (四)三環套月 (五)大魁星 (六)
燕子抄水 (七)左右攔掃 (八)小魁星 (九)黃蜂入洞 (十)靈貓捕鼠 (十一)
蜻蜓點水 (十二)燕子入巢 (十三)鳳凰雙展翅 (十四)右旋風 (十五)小魁星 (十六)
左旋風 (十七)等魚式 (十八)撥草尋蛇 (十九)懷中抱月 (二十)送鳥上林 (廿一)烏
龍擺尾 (廿二)風捲荷葉 (廿三)獅子搖頭 (廿四)虎抱頭 (廿五)野馬跳澗 (廿六)翻
身勒馬 (廿七)指南針 (廿八)迎風撣塵 (廿九)順水推舟 (三十)流星趕月 (三十一)天
馬飛瀑 (三十二)挑簾式 (三十三)左右車輪劍 (三十四)燕子啣泥 (三十五)大鵬展翅 (三十六)
海底撈月 (三十七)懷中抱月 (三十八)夜叉探海 (三十九)犀牛望月 (四十)射雁式 (四十一)

青龍探爪
（四二）鳳凰雙展翅
（四三）左右跨攔
（四四）射雁式
（四五）白猿獻果
（四六）落花式
（四七）玉女穿梭
（四八）白虎攪尾
（四九）魚跳龍門
（五十）烏龍絞柱
（五一）仙人指路
（五二）風掃梅花
（五三）手捧牙笏
（五四）抱劍歸原

(1)起勢

(2)上步合劍式

(3)仙人指路

(4)三環套月(一)

(三)月拳提三(八)

(二)日拳提三(六)

水抄子燕(8)

星魁大(7)

(10)左攔掃　(9)右攔帚

(12)黄蜂入洞　(11)小魁星

(13)雷猛捕风(一)　(14)雷烛捕鬼(二)

(15)燕子入巢(一)　(16)燕子入巢(二)

(17)燕子入巢(三)

(18)鳳凰雙展翅

(19)小魁星

(20)等魚式

(一)蛇尋草撥(21)

二)蛇尋草撥(22)

月抱中懷

林上鳥送(24)

风捲荷葉(26)　　烏龍擺尾(25)

风捲荷葉(二)(27)

虎抱頭(28)

獅子擺頭(29)

翻身勒馬(31)

餓虎跳澗(30)

(一)塵撣風迎(34)　針面柏(33)

舟桩水順(36)　(二)塵撣風迎(35)

(37)流星趕月

(38)天鳥飛瀑

(39)挑簾式

(40)左右車輪劍(一)

(二)劍輪車右左(41)

(三)劍輪車右左(42)

翅展鵬大(43)

月撈底海(44)

夜叉探海(46)
懷中抱月(45)
射雁式(48)
犀牛望月(47)

青龍探爪(49)

鳳凰雙展翅(50)

左右跨攔(一)(51)

左右跨攔(二)(52)

白猿獻果(53)

玉女穿梭(54)

白虎攪尾(55)

烏龍絞柱(一)(56)

(二)柱絞龍烏(57)

(三)柱絞龍烏(58)

(59)仙人指路(一)

(60)仙人指路(二)

(61)手捧牙笏

(62)抱劍歸原(一)

(63)抱劍歸原(二)

太極劍歌

劍法從来不易傳　如龍似虹

最幽玄　倘若砍伐如刀式

笑死三丰老劍仙

太極刀名稱歌

七星跨虎意氣揚　白鶴涼翅暗退藏　風捲荷花隱葉底

推窗望月偏身長　左顧右盼兩分張　玉女穿梭應八方

獅子盤球向前滾　開山巨蟒轉身行　左右高低蝶戀花

轉身招撩如風車　二起腿来打虎勢　鴛鴦腿發半身斜

順水推舟鞭作篙　翻身分手龍門跳　力劈華山抱刀勢

六和橋石鳳圖集

(1)起　勢

(2)上步七星

(3)上踏七星

(4)白鵝亮翅

撩 左(7)
式刀藏身轉(5)
(8)
刀插斜(6

(9)正推刀

(10)玉女穿梭

(11)平拉

(12)轉身盤頭藏刀式

式 刀 撩(15)　　刺 左(13)

式 刀 拐(16)　　捎 右(14)

散步打虎勢(17)

轉身盤頭藏刀式(18)

順水推舟(一)(19)

順水推舟(二)(20)

.武 刀 抱(23)
刀刹步跳(21)
山 華 劈 力 (22)

刺刀式(24)

收刀势(26)

翻身换步砍刀式(25)

太極門中刺槍法、初學先練開合、如圖、此法完全在腰勁、膝勁次之、身體中正、兩足分虛實、左手執桿向左仰為開、向右覆為合、桿頭與目齊、右把在腰間、

## 單練刺槍法

(1)開勢

(2)合勢

滑刺勢　其法前把稍鬆、使後把將桿向前通出、通至左右兩手把相近、務使全桿向前方直出、桿尖直向目標、兩手掌在通出時向上、收回時向下、如一翻一覆、

(7)滑刺勢

(1)雙人平圓沾黏扎桿法（刺肩式）

(2)雙人平圓沾黏扎桿法（刺腿式）

(1)雙人立體圓形沾黏扎桿法之一

(2)雙人立體圓形沾黏扎桿法之二

(1)雙人動步扎四桿法之一

(2)雙人動步扎四桿法之二

(3)雙人動步扎四桿法之三

(4)雙人動步扎四桿法之四

太極拳用法散手對打圖

1(上手)上步捶

乙（下手）提手上势

了（上手）上步搁捶

4（下手）搬捶

5（上手）上步左靠

虎　打　右（手下）6

肘　左　打（手上）7

8（下手）右推

9（上手）左劈身挂

甲上　　乙下

10（下手）右靠

上　　下

11（上手）撤步左打虎

12（下手）右劈身挂

13（上手）提手上势

按身轉（手下）14

捶身劈疊揖（手上）15

（勢開）椄擬（手下）16

手　捌　横（手上）17

18（下手）左（換步）野馬分鬃

19（上手）右打虎（下勢）

轉身撤步搬（下手）20

上步左靠（上手）21

22（下手）轉身按

23（上手）雙分蹬脚（退步跨虎）

捶 襠 指（手下）24

挒採步上（手上）25

26（下手）换步右[illegible]

27（上手）左棚右劈接

28（下手）白鹤凉翅（蹬脚）

29（上手）左 靠

30（下手）撤步搬臂

31（上手）轉身按（擾勢）

耳灌風雙（手下）32

按　雙（手上）33

接搬势下（手下）34

（臂右）推單（手上 35

36（下手）右搓臂

37（上手）顺势按

掌右打化（手下）38

推 化（手上）39

40（下手）化打右肘

41（上手）採 挒

振　步　换（手下）42

虎　打　右（手下）43

44（下手）轉身撤步撇

45（上手）上步左靠

46（下手）回擠

47（上手）雙分靠（換步）

48（下手）轉身左紮（換步）

49（上手）打右肘

50（下手）轉身金雞獨立

51（上手）退步化

52（下手）蹬脚

53（上手）轉身上步靠

54（下手）撅左臂

55（上手）轉身（換步）右分脚

膝摟右分雙（手下）56

脚分左（步换）身轉（手上）57

58（下手）雙分左摟膝

59（上手）換手右靠

60（下手）回右靠

61（上手）上步左攬雀尾

手 雲 右(手下)62

尾雀攬右步上(手上)63

64（下手）左雲手

## 太極拳簡史

太極拳、相傳為張三丰所傳、張三丰名通字君寶、遼陽人、元季儒者、善書畫工詩詞、中統元年、舉茂才異等、遊寶雞山、見有三峰挺秀、因號三丰子、洪武初、召之入朝、路阻武當山、夢玄武大帝授以拳藝、且以破賊故名曰武當派傳張松溪張翠山多人、或曰三丰係宋徽宗時人、值金陵入寇、彼以一人殺金兵五百餘、山陝人慕其勇、從學甚多、元世祖時、有西安人王宗岳、得其真傳、名聞海內、著有太極拳論、太極拳解、行功心解、推手歌、總勢歌等、轉輾傳於浙東王征南、又傳河南蔣發、蔣傳于懷慶陳家溝陳長興、時有楊露禪名福魁者、直隸廣平永年縣人、聞其名、與李伯魁共往師焉、陳見其勤苦學習感而傳其秘、楊歸遊燕京、客諸府邸、清親貴王公貝勒多從受業焉、楊有三孟長名鑄、早亡、次名鉦、字班侯、三名鑑、字健侯、亦曰鏡吾、皆獲盛名、有子三、長曰兆熊、字夢祥、仲名兆元、早亡、叔名兆清、字澄甫、於民國十八年浙江國術館聘為教務長、從其學者多人、後因政變離浙、寓滬、未幾為粵桂當道聘往授藝、著有太極拳體用全書、澄甫先師身軀偉岸、性情和靄、教人先以開展後求緊湊、所授各藝拳劍刀槍等、秉承家學、當時有增減拳套中動作者、澄師極不以為然、曰、吾輩之藝、能超先輩否、藝未學成、便欲改革前輩典範、太不自量也、平時與人推手、常發人兩三丈外、二人對槍時、其勁尤猛烈、非鍛煉有素、學有成就者、不能領畧其工夫、誠非一般拳師中所能表演者也、一某年上海寧波同鄉會、舉行歡迎楊老師會、其中有多年拳師武滙川者、與楊老師表演對槍、兩桿相交、楊舉一槍、武蹤跌尋丈外、如是者三次、在場觀者均露驚駭之色。武竟無以自衛。後經人詢楊。武何以如此。楊曰。武身長力巨。不善化用。反受其累。此用接勁法。来者勁愈大。跌愈遠。推手法中亦如此。若初學。或婦人孺子。決無如此之狼狽云云。當時編者。亦在歡迎之列。）

應用約言

太極拳譜中所云。約言之。內練心意氣。外練筋骨皮。至於應用法。聽（手上神經之感覺非耳聽）化拿與發「四要」。聽者手上臂上肩上與對方接觸時之感覺。因聽而生變化。即將對方之勁化而為空。譜上云引進落空之謂。下句云合即出。合即是拿。出即是發。即是發勁之發。換言之。即是引對方對我使用之力落於空。而我合彼之力。而發出之。並非四要法專用於此。其他如採挒肘靠掤擴擠按八法中。皆遇有此四要之時機。即用此四要。無論

覆推手、在大擴在散手、在器械皆能用之、（其詳細見本談前編中表解）總之、學人照譜中所云、盡心揣摩、經師指導、自然能用之

## 武術修練與健康

武術者、包括鬥毆與技擊、如步戰馬戰水戰等之總稱、徒手相撲謂之鬥、器械相擊、謂之戰、中有個個戰鬥集體戰鬥之別、水滸傳中武松血濺鴛鴦樓林冲棒打洪教頭、為個個戰鬥、若用軍行陣、以多數人在廣場上互戰、為之集體戰鬥、其中有戰術、戰略、戰陣之分、（陣圖陣營陣式）運用之法為兵法、古來軒轅氏破蚩尤、韓信敗楚、皆用陣法戰敗敵人而達政治之目的、今暫不論、茲就徒手之鬥毆持械之技擊言之、太極門各藝、其練習之綱要與程序、在前編中已言之、今再補述梗概於左、

## 關於修練

練拳之根本、先應站樁站樁是練藝之根習套是練拳之本、站樁初從八式站起、至少須站提手上勢、手揮琵琶、單鞭、倒攆猴、雲手等五式、站練到相當時間、繼學拳套、此兩級是學武藝之入手根本、非學太極拳如此、即少林門各藝站馬步入手、是武藝必經之路、行家所謂根蒂功夫也、

太極門各藝練習、分五步、(1)站樁、(2)習拳套、定步推手、活步推手、定步大擴、活步大擴(3)定式散手、不定式散手、(4)學器械劍刀、槍、(先短後長)(5)教師喂練、所謂喂者、即為師者以身作靶、實地與徒實擊、在此反復實擊時、師傅指示其距離時間發動、破法等等、師身與徒試驗之、此步功夫古来為師者、極少教授學徒有極誠之孝順、或可得之、

## 交戰之距離與其他

一距離　為練習中最難最要之事，例如持槍作戰，若二人相距太近，不可用其長，相距太遠，則有所不及，尤其在馬戰、車戰，更為重要。

二時機　時機果然，快者勝於慢者，但不能得機，亦無取勝，故須得適當之時與機位，機位，即當時之環境。

三發勁　既得其距離，又得其時機，若發勁不足（冷勁、斷勁、接勁）等於虛作其勢，反為敵人所乘，而受其制，學發勁，即先學貫勁、出勁、移勁，（務必避去僵勁）

四破法　見敵以何法來攻，我以何法破之，武藝中方法甚多，學者不能全學，當度自身合式之技，專門單練一二種，務必加以苦工，而後用之，必能

取勝、

上列四種、屬於外功、其更重要者、是內功、即心要沉着、氣要沉長、若心浮氣躁、雖有絕技、亦不能制勝、古語曰、泰山崩於前而不驚、猛虎躡於後而不荒、氣不沉長、不能持久、若氣一喘、心即搖、惶惶然、無所措手足、雖有幾位、亦不能剋敵矣、

若不從上列各項學習、只習某套拳、某套劍、幾路刀、幾路槍、是等于跳舞、決不能防身衛國、得其實用、稍稍於手脚上靈活而已、技擊家常言曰、三年好把勢、不如一年爛戲子、因普通拳師、只練其空架、未練其實用、不如戲劇中武生、每日三場五場、跳、打、奔、騰、刺、擊、旋、繞、皆能應付自如、誠不可輕視其技術也、

學習武術、無論徒手與器械、必須要有師承、要有傳授、要有理論與實踐、理論、就是各家拳譜、實踐就是鍛煉身心、理論就是先進經驗、實踐就是理論之實驗、兩者不可分離、專講理論是空談、專做動作是瞎練盲修、瞎練是有害而無益、其害處有在目前看到、有在日後發見、練形意拳、打明勁不得法、便要傷脚根、但明勁未打通、不能練暗勁、如何使不受傷而能打通、須師傅面傳口授、現在常見自出花樣、別出心裁、將從前祖師所傳的加上一拳兩脚、或者減去一手兩手、自己杜撰的来教人、簡直拿来學的作試驗品、如其練壞了身體、總説他自己練的不好、形意拳譜有十二本、八卦拳譜有兩本、陳微明編著的一本、太極拳譜楊家的一本、陳家溝的兩本、山西郝家的一本、皆是明代傳下来拳譜、即是歷代祖師心血的結晶、也就是效用的説明、例如達摩八段錦、「搖頭擺尾去心火、兩手扳足固腎腰、調理脾胃單舉手、雙手托天理三焦」此是很簡單的動作與理論同時說明、拳譜是複雜的說明、萬萬不能離開拳譜去學拳、沒有傳授、沒有理論的来教拳、等於不明醫理、不明藥性的人来治病、非但練不好身體、一定有危害性、一時不覺得日久便發見、倒不如做廣播操来得快活

太極拳之動作、人人皆知要緩慢、要無力、初學者當然從緩慢入手、不緩慢、動作不能周到、但不能呆滯、不能僵硬、不能閉氣、若呆滯僵硬、即不能鬆腰活腕、使氣血不能充沛流行、跡近阻碍、倘胸中閉氣、則更為不可、「譜曰、極柔軟然後極堅剛、能呼吸然後能靈活」人之呼吸長短深淺各個不同、最好聽其自然不必故意做作反碍各人先天自然之能、動作中最緊要者、如

譜云「一舉動、週身俱要輕靈、尤須貫串、無使有凹凸處、無有斷續處」不用僵勁、不呆滯、方可輕靈、貫串者、綿綿不斷、腳手腿腰連貫一氣、而不停滯、普通學人皆注意在手腕、實際上最要者在腰腿、譜曰、「其根在於腳、發於腿、主宰於腰、形於手指……有不得機不得勢處、身便散亂、其病於腰腿求之、」澄師常曰、不論快慢、總要均勻、然極不易做到、其次避免雙重、譜曰、「每見數年純功、不能運化、率自為人制者、雙重之病未悟耳」「虛實宜分清楚、一處有一處虛實、」雙重者、下則兩足同一着力、上者兩手同一用力、此為太極拳中之最忌、必須左虛右實、或右虛左實、足力如此、手勁亦如此、拳套中兩足虛實尚易分清、兩手之虛實、非在推手中學習不可、若不推手、決難知手腕上之虛實、腰腿上之變化、譜曰、「左重則左虛、右重則右杳、」

此兩句、即說彼左重則我左虛、彼右重則我右虛、由彼此動作上體察之、有時以陰陽代表虛實、譜曰「陰不離陽、陽不離陰、陰陽相濟、方為懂勁、懂勁後愈練愈精、默識揣摩、漸至從心所欲、」

譜曰「以心行氣、務令沉着、乃能收斂入骨、以氣運身、務令順遂、乃能便利從心、」「行氣如九曲珠、無微不到、」上節所云、是太極拳內心功夫、是技藝中上乘功夫、須從默識揣摩而得、時與同道中精心苦練之良師好友研究之、在近年來能達成此功夫者、不多見、但學人切忌別出心裁、勉強做作、反成疾病、若循規蹈矩、能多下苦工、當有影響顯現、最友郭君朝夕苦練、每日數十次、并時時揣摩拳譜中各義、余在重慶時、見其練拳、確能氣遍全身、腹中作聲、四肢輕靈、意態沉着、動作圓滿、余深欽佩之、郭君在軍部所任事務繁劇、從不見其露疲乏之態、亦不見其感冒等疾、若郭君者、可謂達到却病延年之門徑矣、學成技藝、必需良師好友、二者不可缺一、良師者、能引導入正確之路、并表示良好之模範、二者必須兼備、並非師之工夫能贈給與生徒、好友者、能虛心共同研究之謂、古語曰、他山之石、可以攻玉、又曰擇其善者從之、不善者改之、皆能有益於我也、但學成與否、全在自身之鍛練、非為師友者所能包辦完成、學習技藝、必須一氣呵成、不可一曝十寒、么三歇五、每日在一定時間、一定處所、如在晨間或夜間、則無論風雨寒暑、必在此時行之、練習處所、如在廳堂或在卧室、每次必在此處練之、方向亦不可更改、如此學習、其進功甚速、反此條件、不易學成、難望進步、

擇師須審察周詳、既信仰而為我之師、必應恭敬誠篤而學之、不可朝三暮

四、今日從張，明日拜李，須知各師有不同之經驗，有不同之心得，動作既不同，教法亦不同，至於採訪先進，觀摩式範，亦屬師資之一，是應廣事參謁，恭聽教言，必能助我之成也。

## 健康與保養

先輩孫祿堂云：無論壽命之長短，必須活得十足。何謂十足？即是一生健康無疾病，盡量發揮本能，滿足一切業務，若常在病牀，或萎靡頹唐，則一生中不得謂之十足矣。故健康為十足必要之條件，今具體言有七條

(一)終年無疾病，(二)凡事提得起，放得下，想得全，做得完，（心理健康）(三)能担負百二十斤至百六十斤長行，(四)每小時行十里至十五華里，（休息在內）(五)前跳一丈，後竄八尺，(六)夏季烈日中能揷秧耘田，冬季冰雪中下水

[illegible]、(比)連續七天不食、(飲水不在內)七夜不睡、照常工作、兼備此七條、可稱為健康、能超此者可稱為強壯、古來方外中人有修持者皆能之、否則不能沖風冒雪、千山萬水、朝山參訪也、家室之人、物欲所累、不多見矣、

## 關於保養

凡人天生來皆是健康、換言之、遇有風寒感冒、病菌疫氣、先天俱有抵抗之本能、某科學家云、一立方寸之空氣其中存留細菌不可計、在呼吸中、全仗自身為之消滅、然近世來、人壽逐年遞減、其所以如此、由於七情六慾、自傷其身體、自傷之道、男女飲食、喜怒憂悲、不得其中而損傷性命矣、

人生中最傷身者、色慾居其半、凡百疾病、雖別有因緣、皆由房事不慎、種其

根、古諺云、行房百里者病、百里行房者死、（其詳觀本談前篇）今據老武術家兼醫師者云其例如左

飽食或冷食中行房、成胃病。當風冒寒中行房、成肺病。氣管炎、酒後勞後行房、成腸病。腎病。怒後受熱後行房、成肝病。若服春藥而行房、其害更烈。除家室外、不可有尋花問柳、非僅竊玉偷香是邪淫、非其人、非其地、非其處非其時而為之、皆屬邪淫、邪淫是傾家蕩產傷身害命之尤、武德中所必戒、非修練人、亦當守此、是有益而無害、勝服補藥萬倍、欲戒淫、勿看淫書、淫畫、淫戲勿近浪蕩之友、如此離戒不遠矣、

人生最寶貴者、精、氣、神、三者之中、尤以氣有莫大之效用、吾人身內之血、如何而周行全身、能周而復始者、全仗氣行之、（由心房至發血管、再由回血

[illegible]生心房、皆由氣推行之、）若無氣、決不能推行全身、神經司感覺而已、神經所覺、氣必隨之、如嘔吐、便溺、動作一切、皆由氣而表現、（如內排洩外排洩均由氣行之、）不僅排洩且有吸收作用肌膚上外治之藥、由氣吸收之、氣之為用、如此之大、實不可思議、修練人當更為注意、茲分養氣補氣練氣三步功夫大畧言之於左、

養氣、孟夫子云養吾浩然之氣、文天祥有正氣歌、皆非形質之氣、其理高深非本篇所談、茲不具論、今就粗淺言之、氣在人身無定所、無方位、無靜止、無消失、任何部分有氣、任何時間皆周行、換言之、氣與神經無二致、神經所覺氣必隨之、神經有靜默、氣似有靜默而無靜默、養氣之道首重靜坐、（身體端正、盤膝而坐、單雙盤皆可、頭直閉口、舌牴上腭、兩手掌交疊股上、胸勿張

勿窄、衣帶皆鬆、臂部加墊稍高、若不適盤坐、垂脚亦可、口中生液至滿徐徐嚥之、心勿散亂、亦勿昏沉、念起知而勿隨、過去現在未來、皆勿思慮、如是數息、鼻氣一出一進為一息、勿做作、任其自然、）如是而坐一小時、至二小時、於氣分上有相當幫助、坐後、必覺得全身飽滿、精神充足、發音宏亮、坐之時間、不拘長短、而重在得力、所謂得力者、即如上方法、若能每日在一定時間行之、當能得益非淺、下坐後、勿急於操作、方外人有止靜、開靜、養靜三程序、正在靜坐時謂之止靜、放棄靜作謂之開靜、開靜中休息謂之養靜、簡言之、下坐後、稍稍休息、勿遽然辦事可矣、靜坐勿在寒風前、勿在飽食後、（靜坐調息、便是調氣、即是養氣、使氣勿偏於一方、得中和之道、

補氣、中醫有補中益氣湯、其方如左

黄耆二錢、黨參二錢、柴胡六分、升麻六分、歸身二錢、炙甘草二錢、冬朮二錢、陳皮二錢、生薑六片、大棗四個。此劑每年逢冬至、夏至、春分、秋分、四節日服一劑。(八)若氣分充足者、可不服也。平時勿多食散氣破氣之香燥藥物、如豆蔻、沙仁、花椒、茴香等。

練氣、練氣即屬於氣功、吾國上古以來、方法甚多、有屬於道家、有屬於佛家有屬於技擊家、有屬於方士、術士、因各家目的不同、而方法亦異、其傳授手續有可公開有不可公開、有極簡單、有極複雜、其效用亦各別不同、茲舉一二例如左、

道家氣功、分多種、今就余友八十七歲之武術家劉君、所練方法、介紹於左、

先在室中置一燃燒之炭盆、將室中濁氣薰蒸出戶、練者安坐盆後、離開三

尺、或四尺、端身危坐、雙足單盤、或雙盤、或不盤、垂脚皆可、（兩足垂直、不可交股、）頭與頸項朝前、上身不俯不仰、閉目一二分鐘後、張口吐氣、吐至腹内無氣可吐、再閉口由鼻吸氣、緩緩入腹至小腹、停留一二分鐘、然後張口吐出、如是三次後、用左手（右手）捏拳、拍擊兩臂膝及腰腿全身、拍勢勿過重勿過輕、使感覺適當為度、其拍數不定多少、初練時、用自手拍、繼則托人拍擊肩臂、腰背各部、一月或二月後、改用小布袋、盛粗砂七八分、紮口、代手拍之、初則輕拍、日久重拍、（注意）吐吸三次後、起初用手拍擊、待拍擊後再吸吐、再拍擊、於是輪番吸吐、照上述方法、拍擊全身、每晨為之、上法練久能使人精神充足、肌膚堅實、四肢強壯、

其二、四川銅梁縣山中、道家羅雲山老師、抗戰時年已古稀外、望之如四十

其人、終年不睡、夏不畏暑、冬不怯寒、其氣工開始時、閉目凝神、直立一分鐘兩手相抱、十指交叉、微近腹部、兩脚開作八字形、稍蹲上身、勿過低、約如四平馬步、開口由鼻吸氣入小腹（下丹田）務勿洩出、將上身作元形搖擺、猶如上身在空中畫元圈、先向左旋數十轉後向右旋數十轉、到力竭不能再轉始將腹中之氣由口吐出、換言之、腹中吸入之氣、到搖轉不能再轉始可吐氣、此法在晨暮兩時、空氣清新之處行之、最好勿與人見、同道者不忌、練久行動健康外、能精神飽滿、却病延年、更有其他妙用

其三、道家龍盒派氣功、龍老師、鬚髮花白、肌膚紅潤如小兒、耳目聰明、冬夏一薄綢衫、步履輕便、行動矯捷、無家室、無行李、一身外無長物、食宿無定時、每雪夜露宿山間林下、常居岩洞中、其氣工、守寂靜坐、徐徐呼吸、舌抵上腭、

待口內液滿綫綫吞之、據云此係初步功夫、待到相當程度、再授二步三步功夫、

佛家氣功、僧界在內地除坐香跑香外、僅有達摩祖師之八段錦、易筋經、洗髓經、三步功夫、此書上有唐李靖題、南宋牛皋題跋云、岳武穆幼年能開三百石弓、嘗得此書之功、（由某老僧所傳）顯宗並無氣功傳說、

西藏西康等處、唐以來、有由印度傳入之氣功、即喇嘛所練之九節風、寶瓶氣、頗哇法開頂、亥母拳等、皆屬於密宗氣功、其方法有簡有繁、須經相當手續、始可面授、因與其他修持方法相關、不能單獨習練、非本篇所論、不詳述、

技術家氣功、青年時用冷水激刺、腎囊與陰莖上縮、逐漸用氣提吸、使吸入小腹、初由夏季開始、漸到冬季、若在中年以後、則此法不能行、另用控拘腎

睾丸、揉之拍之、使睾丸由揉而硬、兩手交拍、交揉、并用氣提吸、日久亦能入腹、此法能堅固臟腑、增長精液、余友潘君中年因此得二子、技術家常云「內練一口氣、外練筋骨皮」「冬季練氣血、夏季練筋骨」

南方拳術家、有閉氣練拳、開始即咬牙鼓腹吊襠（吸陰莖）百脉緊張、面紅耳赤、動作數次、狂吼一聲、或全套畢而大吼、練器械亦如此、浙東溫處台三府屬、練武術者、大半如此、此種練法、本身強健者、初練易見功效、偶一不慎傷氣、傷肺、或致傷筋脉、余極不同情、但浙東少年喜此、屢見不鮮、

方士術士之氣功、馮藉符咒、假借藥物、再以本身精氣、合而修煉、久之能將五金製物、或磁銅玉石等物、可作工具、任意使用、其神妙處不可理解、本人在四川時、曾目覩多次、非虛構其詞、以惑讀者、

氣功、中國歷古以來、修煉者不知凡幾、道家煉此甚多、其派別亦多、方法各各不同、佛家密宗、亦因法本種種不同、技術家氣功、大別南北兩派、而細分不知若干派、其方法亦因之而異、方士術士、派別更多、煉法亦異、若欲煉氣功、或靜坐不能照書本試練、（現在書店出售之氣功療養法某種靜坐法等等、）余屢見試練成病、必須由師面授、並且時時請師校正、萬不可無師自通也、願讀此者注意之、

結論、吾國以往被人稱為老大帝國、東亞病夫、而今不然、睡獅已醒、發奮圖強、人人皆知強健體育、鍛練身心、但鍛練須得其道、否則易遭損害、第一先從保養入門、若保養得益、即不鍛練亦能健康、如不保養身體、不僅無益、反而有害、所謂保養者、摒棄一切嗜好、凡屬有害於精氣神三者、概行戒絕、並

非吃龍經虎骨、服人參燕窩等補物、藥補不如食補、家常園蔬亦均營養、適口充腸、便是滋補、編者少年多病、因習練而除病、今年七十有三矣、動作尚能如恒者、不敢濫用精氣神耳、本篇所述、卑無高論、謬誤之處、在所不免、願海內高賢、加以指正、不勝感禱之至、（其詳參看本談上篇）

丙申仲春下浣　七三老人黃山樵誌於勾山樵舍

附近代武術家軼事

楊露禪

楊露禪先師、祖居直隸永平縣、專務農業、不預問外事、所謂一不護院、二不保鏢、三不賣藝、簡言之、不走江湖、與人無爭也、清季、北京城內大家、時時失竊珍寶、報官後、從未破案、某年、端王府亦失竊珍寶、責令步軍統領破案、在京師明查、時訪竭盡偵探之能事、終無端倪、不得而託諸鏢局中人、向京外各地尋覓、有走南路鏢局者云、春間走鏢、經直隸邊界、聞某庄院中瞿某武工高超、家藏珍玩極多、但從不聞其向何商何人購来、其地離京約百六十里、（華里）瞿家素富、或不致出此、若能託其協助偵緝、當有幫助、步軍統領聞以此情稟復端王、端王命刑部令該縣查辦此案、縣長與僚屬商議、據云瞿某似有嫌疑、但不能以力致之、必須託一武功有聲望者、以情動之、或能辦成、聞近有楊露禪者、武功極有聲譽、由楊去羅致、當有可能、縣長即往楊家、卑禮厚辭、再三敦請、楊始允之、翌日楊帶一徒前往、到該庄見院門緊閉、即上牆垣、俯視內容、見空院上有鐵絲網、不得下、此時即有人出問何人、楊告以姓名、其人曰楊大爺請下牆、余開門相迎、於是楊下牆與徒登堂謁見知即瞿某也、楊寒暄後、告以端王慕君之名、且為同好、請往京中一敘、瞿然思再三曰可、楊歸縣署、述其經過、縣長即懇託楊伴瞿進京到部、楊却之不可、於是翌日帶徒邀瞿同行、到部後、審問各案、瞿完全承認、詳述竊盜經過、瞿能飛簷走壁、一夜可行百數十里、專竊珍貴古董、後在獄中撞壁而死、端王始知楊氏武功高深、留於王府、教授一般親貴、迨民國肇興、親貴疏散、楊家太極拳始流傳於社會、此近世楊派太極拳之發軔、

## 楊班侯

班侯、楊先生露禪之次公子、軀幹甚偉、秉承家學、其太極門各藝、北五省習武術者無不欽佩、平時所持之槍、重三十斤、人稱楊鐵槍、又稱楊無敵、鏢局中聘為鏢師、其時楊家在京已棄農業、但常以鵲置手掌中而不能起

飛、人問其故、楊曰鵲之振翼而飛必恃其足蹬跳而起、我掌不受其跳躍之勁、即譜云、「一羽不能加、蠅虫不能落」掌中聽勁靈敏使鵲不得其力、故不能飛也、與同友中推手、常發人三丈外、某日、清晨、在堂前洗面、突来一頭陀僧詢曰、君是楊班侯乎楊未及回答僧突以頭衝入、楊急以雙手接而擲之、僧蹼跌兩丈外園中、起而拱手曰、大爺功夫好、連稱數好而去楊視雙脚用力處足印入土中寸餘、人問楊曰、頭陀何以跌出之快楊曰、此係接勁工夫接彼之勁而發之、不容須臾變換、一剎那中而發出矣、

班侯先生、一日在野外執桿馳馬、似習馬戰有兩人狩獵中失去愛犬、託為尋覓班侯歸途中見其犬、以桿粘之而歸、見者稱奇、詢其故、班曰、太極槍法中粘粘功夫也、

楊健侯字鏡吾

露禪先師之三公子也、於太極門各藝深得三昧、秉性溫和、授徒亦衆、某日在堂前閒坐吸烟、見其媳婦一手抱孫兒、一手持面盆向園中倒水、忽立足不穩將倒時、楊翁一箭步前去扶住、其時間不容髮、其快速如電、某夜睡眠中、梁上落一鼠、適落於腿上、彈出於地、明日起覺其鼠已跌死地上、人問其故、答曰、接勁使然、亦由聽勁靈敏而致此、

楊家在永年縣務農時、某日、屋側有大堆稿荐着火、勢將蔓延、附近無河井、隣人惶急無措、健侯先生以桿棒入艸堆、用力抖之、稿荐四散於地、剎那間撲滅矣、後在京寓、某日出街歸來、經過酒店門前、突有一大兵自店出、直撞楊身、楊稍一蹲身、大兵反跌入酒店中、傍坐酒客皆為驚奇、楊身若有數百

斤彈力也、後經友好詢其故、楊曰、無他、接彼來勁而發之、友曰、何以知其來捷、楊曰、練功夫人、時時刻刻、不離警惕、偶有接觸、即順勢化而發之、所謂化者發者、言之分二、用之則一、無可分也、

## 楊夢祥

楊夢祥先生、字少侯、頗似班侯、性情剛強、拳練小架子、專練冷勁、學者極難領受、故列門牆者不多、民國初年、南京王部長、聘為家庭教師、初則男女老少皆請授藝、繼則不敢問津、畏其發勁太烈、不勝其苦、遂漸星散、喬居半載容死寧垣、澄甫先師適任浙江國術館教務長、聞耗赴寧奔喪、料理善後焉、

## 楊澄甫先師

先師性情溫和、極似健侯先生、教拳以大架子、常曰、先求開展、後求緊湊、小

架子是打人用、汝等學拳、為求強身計、並非為打人、故不必着重小架子、循循善誘、和靄可親、故南来年餘、列門牆者甚多、教授方法簡單平易、按學者程度、加以指示、拳套學全、再教推手、再大攦、太極刀、劍、槍等藝、均按學者功夫深淺而教之、對久學之門人推手、發勁沉長、常發人於兩三丈外、教太極槍時、其勁更猛、但於初學、或年老有病者、決不如此發勁、每對學者曰、練習不論快慢、總要均勻、必須週到、着實不可自出新奇、有背祖訓、寥寥數語、概括一切矣、最可敬者、澄師在武術界多年、毫無江湖習氣、對門弟子、絕無需索、待人接物、從無疾言厲色、編者五六年来、朝夕受教、迨澄師應粵省當道之聘、彼此分離、今者吾師已歸道山、回憶典型、不禁黯然

在澄師門下學練最久、南来授藝者、據編者所知、如田紹先、陳微明、武滙川、

牛靜軒、陳月波、董英傑、其次李雅軒、楊達等、最難得者、陳微明師兄創辦上海至柔拳社、除授太極八卦兩門各藝外、并教以詩賦古文、望之彬彬然、溫文爾雅、詎知為文武兼優傑出之導師哉、而今皈依密宗、閉戶潛修、他日之成非可限量、是筆者所欽佩無已也

澄師公子楊振明、在兩粵與董英傑同為教師、近十年來、其功夫必有可觀家學淵源、克紹箕裘、是楊家千里駒、必能光大門庭、慰先祖於地下矣、楊氏昆季身軀皆偉岸、對於各藝、每日晨昏苦練於拳套一日數十次、先天強健加以家學淵源、又能專心苦練、無怪其超群也、即近年在申傳藝之田紹先先生、在楊家最久、在冬季著單衣習練、到出大汗、每日必數十次、總之欲技之成、非加以相當煆練不可、決非偶然可得也、

## 大槍劉

大槍劉直隸籍、自幼習槍、臂力過人、所用之槍、較平大槍長二尺餘、常人所不能用、時以大槍觸玻璃上蒼蠅、蠅觸死而玻璃不碎、嘗客李師芳宸將軍署、有李師同鄉趙某練武術多年、鄉黨中稱道之、某日來訪、李師命與大槍劉一較身手、趙未作勢、劉即一掌擊之、趙某撲於牆、復倒於地、起即吐血、返家後卧病矣、李師不以劉為然、同為幕客、何出此毒手、即逐之、劉之言動若患神經病、前魯督韓復渠在省開武術比試會、命余之師兄林志遠邀劉為評判員、見劉著長袍、外加濶鑲四方大馬褂、背揷數箭、腰懸一弓、頭戴濶邊禮帽、手托兩鉄球、盤旋不息、下樓時不由梯走、從走廊中躍下、同寓旅客、皆目為怪人、而劉欣欣自得、安之若素、任何人不可與握手、會有濟南國術館教師某、與劉搓手、某手劇痛異常、明日視手、已浮腫受傷不能執物矣、劉與人對演大槍時、不用兩手、僅一手執桿、兩桿相交、劉桿一抖擻、對方之桿被震而落地、因不勝其震勁之烈、執桿不住也、古來小說中交戰時、手掌虎叉震開、今知確有其事、

## 孫祿堂與張鐵掌

滿清末葉、特簡趙爾巽為東三省總督、赴任時、隨從中以孫祿堂張鐵掌為侍衛、趙到任後、孫張潛居府中、不與外界往還、詎知日久東省武術界知之、有名蓋三省者、為東省武術界之鉅子、深怪孫張不來訪（照當年江湖慣例、武術界人、如到別省欲賣藝教拳、必須先拜當地同道、以盡客禮、戲班到地演戲、亦須拜訪當地票房票友、如不久住、僅過路者、不在此例、）日久、益

不能耐、於是往督署訪之、孫張接見後、寒暄數語、盍曰、聞二兄功夫甚深、他日來領教、孫聞之不敢遽允、張曰好好、送别後孫曰、觀盍身體魁偉、其力不弱、言動桀傲、交手一定不善、君何以允之、張曰、吾觀盍步履輕浮、不足慮、易對付之、數日後孫張同訪盍於家、數語後、盍請表演、盍張二人即在園中往來比試、初則張以守勢自衛、而盍以張怯弱、急於取勝、手脚猛烈、張不能忍、乘其不意、一翻掌、擊盍小腹於地、盍不能起、孫急扶之、盍面已變色、吐血數口、孫張道歉而别、旬日後聞盍嘔血而死、此張之所以稱鉄掌、洵非虛語、然盍咎由自取、而張亦太忍心矣

孫祿堂自幼好練武術、善練八卦、太極、形意三種、孫稱三位一體、其意皆屬於武當門、且藝之要領皆同、北方武術界皆尊重之、除善使彈弓、置一彈於

磁盤中、孫從遠處以另一彈擊之、前彈躍出、後彈住於盤中、以彈擊鳥、無不中之、曩為徐東海總統之侍衛、一日徐出會客、經過廊下、突有一人從側躍出、孫雙手托其腰、送出丈外、而不撲跌、總統徐行無阻、而某亦不傷、其技可為神矣、孫於武術外兼通文翰、於六經易理皆有心得、筆者時時過從、常承指導、其公子存周、在浙軍界教習有年、癸酉後已離浙赴滬、

鉄肩王長勝

鉄肩王長勝、專練六合撞(1)頭(2)肘(3)肩(4)身(5)腿(6)胯、其撞法奇突、撞力甚猛而快、相隔一二丈遠時、見其一撐手即到、被撞者即倒

杜心五

杜心五、湘西人、幼年遇俠士傳以自然門各藝、能輕身蹤躍手足堅強卒性

豪邁滿清末葉、誤入歧途、遊綠林中有年、未幾深悔所為、奮然赴日本早稻田大學習農科、歸國考得農商部主事、在農部服務外、兼各大學教授、暇中傳習武技、大學生中有萬籟聲者從杜學藝最有成就、在江南國術比試中皆獲優勝、杜與筆者有金蘭之契、嘗遊於李師芳宸之門、杜語余曰、吾人身中最長用者、手足而已、最長者足尖手尖、即為吾人之器械、若器械不良不利、雖學千藝萬法、終不能克敵制勝、拳套、樸擊中方法耳、第一先將手足二尖練成快利之器、所謂練成者、手尖足尖要鋒利、第二要全身之力貫注到足手二尖第三要動快眼明第四要步快心靈、至於踢打之術、稍加習煉、便能領會、練手尖之法、即用子母球練之、用大小兩鐵球、大者重約八磅至十磅、因練者本有之腕力而異、此球之十孔適當練者撮合球之指尖、以撮得起似撮不起、每日晨昏、撮六七次或八九次、如是撮之、使五指尖、漸漸增長其撮勁、不可撮過十經線、其小鉄球、滿掌可爪、亦每日晨昏爪而提六七次或八九次、漸漸增漲臂腕之提勁、如是兩手交換、朝夕撮提、不久練成鉄爪、（其、成效因人本能而不同、）練足尖、即是拳法中、稱為鬼拉鑽、在床脚上或門檔側、縛一如臂之竹筒、每日晨昏用足尖踢之、同時兩拳向前作起擊勢、如左脚踢竹筒上面右手作拳擊、右脚踢竹筒、上面左手作拳擊、如是上左下右、上右下左、彷彿拉鑽、但身軀要蹲低、兩足要踢真、必須踢着竹筒、亦不過猛、過猛防受傷、兩臂起作拳擊時、初則腕上不戴鉛環、繼則用二兩之鉛環套於臂上、兩臂同、日久由二兩增為四兩、由四兩漸漸增加至三斤五斤、乃至十餘斤、如是練久、其效用不可比擬、足尖能踢破竹筒、兩臂能擊退數十百斤之物，且手足同時到著，敵者無可趨避，常言曰，若人練得鬼拉鑽天下英雄打一半，此爲練武中最簡捷之法，欲防身者，練此一藝可矣，至於修心養身之法，莫過於靜坐，杜又云，普通說飛簷走壁，蹤跳如飛，但如其名不知其法，飛簷是輕身功夫，先從笸匡（簸箕）起，走壁是跑板功夫，每天在一塊板上跑走，先是平擺跑走，而後逐漸傾斜（初則三十度，漸至四十五十九十度）到角度極峻，能上下跑走，便可走壁矣，蹤高，在室內掘一如人身之深淺，其直徑如自身之大，約三四尺，下面用寸板疊至與地面平，學者將兩腿用木綁成直線，而後用肩向上提動，初則不能動，多日後能動，再後立在木板上，向板外提跳，若能兩腳提出板外，在外亦能提跳入內，來往自如則去一板，（約一寸）再照上法提跳，由是逐漸去板至半人深，則去所練之术樸、便能縱高上牆矣、此法每日晨昏習練六七次、平時仍照常工作、不妨碍業務、此為自然門之自然功夫也、江浙舉行國術比試時、杜為評判員、每場比試終了、杜輒表演鬼頭手、輕身步等藝、嘗以兩足尖走矮步、環行不息、雙手作環擊狀、觀眾無不稱奇、爾時年逾花甲、兩腿矯捷輕靈如兩手、然外貌絕不似武術界中人、宛然来自鄉間之冬烘先生也、

## 飛腿張恩慶

飛腿張恩慶、河北獨流縣人、搓角門之泰斗、清同光年間人、稱鎮長江飛腿張恩慶、其發腿快而準、清末張之洞任兩湖總督、張恩慶為侍衛、都督騎馬拜客、張恩慶必馬前三步、民國十八年浙江國術比試大會、恩慶為評判員、暇中筆者見其演技、張與人離開六步、彼曰我腿擊你右肩、一舉手、馳步即

劉右肩、又擊試左肩亦同、有時命人跑步、無論左跑右奔、張一舉手、其腿必中其肩背、張曰腿打下身、不算功夫、發腿之快而準、實為罕見、張身軀中等、虬髯重頷、行動矯捷、善雙刀虎頭勾等技、

## 神手唐殿卿

神手唐殿卿、湖南隨州人、清同治年来遨遊南北、江湖上稱之神手者、因其能以三指托六十五斤鉄百齡鳥籠、行走二十里、專練西陽掌、回教之特藝、

## 王戌九

王戌九、外號王二爺、直隸人、民國十九年、曾南遊各省、為中央國術館傳授氣功、據云幼年遇道家傳氣功外、并四十八字修練身心於武技亦習練多年、江浙兩省向其學氣功者、皆傷外科醫師、

## 劉百川

劉百川、皖南六安人、龍腰虎背、鬚髮皓然、年雖八十又七、而精神飽滿、舉止如常、與筆者二十年前有車笠之誼、其幼年愛練武術、經各名師教授、刀槍鞭棍、皆經苦練、惟少林派靈陵門羅漢拳、單雙刀、最為善長、尤其是九轉連環鴛鴦腿（水滸傳中武松打蔣門神之腿法）（踢腿與踢腳不同）其用法接二連三、正踢、側踢、反踢、倒踢、對方決難逃避、最奇者、對方接持其腿、在劉派拳法中無可使技、在連環腿中利用接抱其腿而再踢之、其勁更猛、必致腹破腸流、劉常曰、拳打肘、肩頭、其意即打拳不着、即用肘、打肘不着、即用肩、（靠）如肩亦不着、即用頭、腿踢腳、膝、胯、其意腳踢不着、即用膝、用胯、皆是接二連三、一朝對方前進打去、使其應接不暇、靈陵門羅漢拳、除拳套外亦有推手、亦有對打、亦有散手、其練習程序、大致與太極門相同、筆者嘗學羅漢拳對子數式（老和尚撞金鐘等）所謂磨轉心不轉、出手動作皆是連環法、此類拳譜、想已遺失、或密藏不欲問世歟、至鴛鴦腿練法、先在空園中樹立兩脚之木架（比人高尺許）中懸一麻袋（普通盛米一石之大袋）袋中滿貯細草或棉絮、能左右前後動蕩、學人離袋二三尺地、用披掌馳步（滑步亦名偷步）前進、橫右腿踢之、（非脚掌全腿橫掃此袋）其袋向後或左右蕩開、即反背轉身、用左腿蹬之、「用脚跟」其袋再向後、復披掌右腿橫踢之、如此可接連不斷、周而復始學習之、初練、用力不可猛、防傷脚掌、其傷科氣功、傳自山西名醫楊登雲老師、楊除傷科外、係西北武術名師、傷科施藥與手術、推拿整骨、別具妙用、著手成春、筆者當年曾向百川

學習連環腿、并羅漢拳對打、推傷科從未問津、如今已老、徒羨其藝之精深

而已、

吾師海燈法師、俗家陝籍、剃度後受具足戒、人皆知為顯密融通之大法師、不知其為川陝聞名之武術家也、成都市、每年花會、各業聚集、除商販外、以各種遊藝為娛樂、最後有武術比賽、所謂擺擂台、每請海師表演為結束、師初臨潼山文昌帝君廟住持、素來以葷酒祀神、迨海師升座後宣告斷葷茹蔬而一般糾糾信士、以為不可、勢將決鬥、海師聞之笑曰、若欲動武、真班門弄斧矣、若謂不信、即演數藝、於衆前、羣衆望而卻步、搖頭伸舌、不敢作聲而去、近年參訪嵩山少林寺、僧衆久聞其名、羣請授藝、曾教習年餘、而別元秀無狀、屢蒙教誨、毫無寸進、徒負吾師之化育矣、

苦樂榮枯在自强讀君高
論似迷方未能入室慚庸
鈍且喜升堂許狷狂武衛
精研堪作聖文章餘事豈
全荒放廬松鞠勾山月付
與騷人考證忙

文林先生 郢政

山陰後田宿守𠈁稿

# 書黃文叔先生武術叢談續編後

聖門施教、首重六藝、禮以立身、樂以養性、為人生之大本、亦教育之大端、次則射御近乎武、書數近乎文、文事武備內外兼資、二者蓋不可偏廢、迨及後世、上焉者或崇文、或尚武、無一定之規程、下焉者從風而靡、苟一時之利祿、馴至文無縛雞之力、武成没字之碑、禍生厲階、狂瀾莫挽、清季廢科舉興學校、倡為三育並重之説、以德育概禮樂、以智育概書數、以體育概射御、具體而微、未能盡教育之能事、嗣後朝令暮改、問學之士、無所適從、欲以是為强國强種之權輿難矣、是故言政教者、智所以治事、勇所以禦侮、相倚相資、如左右手也、顧仲由子羽之藝、不見於經、袁公處女之書、不傳於世、嫻書史者、不知劍戟習技擊者、不能文章、射御一降為戈矛、再降為拳捷、潛藏深隱數千年絶技、知之而不能言、言之而不能盡、若有若無、不絶如縷、可慨也。文叔少從事於學問、誦黃老之經、晚致力於葆真、究淨禪之密、專氣致柔、澹泊明志、聞之有素矣。又與李芳辰、田紹先、楊澄甫、杜心五、劉百川諸師友、及比丘海燈游藝、日以精、氣日以沛、惟以老自韜、不欲更有所授受。今秋小女曉英以藿食多病、約吳佩秋女友、偕往請業、再更弦望、於太極拳、武當劍兩門、僅具端倪、而瘦損之軀、漸增伉爽、深知服氣錬形之學、實具精微、非田徑球類之劇烈運動所可比擬也。文叔舊著武當劍法、楊家太極拳諸書、迭經變亂、海内已成孤本、上年輯武術叢談、而運行圖樣、尚嫌未備、茲因孺子可教、續輯是編、予為瀏覽一過、知其勤求力學、老而彌篤、而誨人不倦之忱、尤不可及也、輒書此以志歲月、丙申嘉平之朔清平山人徐映璞、

（封面） 武术丛谈续编

黄文叔先生著

山阴田宿宇敬题

丙申仲冬月

健 康 之 宝

田宿宇谨题

# 目录

# 武术修炼与健康



人生有健康之身体，然后有卓越之事功。而健康之道，由于锻炼为一般人所共认，故有老幼强弱之别，锻炼亦有徒手器械之异，其间复有内家外家与门户派别之殊。其道至多，宜于甲者，未必宜于乙，而最普被温和尽人可以探讨者，莫如太极一门。惟易于问津，难于深造，失之毫厘，谬以千里，此所以学者多而精者不数数觏也。余同学黄山樵先生为浙中宿将，自幼爱好技击，先后师事田绍先、杨澄甫诸先生，苦练有年，造诣甚深，为入室弟子侪辈推崇，余尝以大师兄尊称之。先生慧根宿植，茹素学密，于武术外能文善书，广爱交游，与孙禄堂、张兆东、杜心五、刘百川诸先生研究探讨，互相尊重。又由李芳宸先生授传武当剑术有所成就，曾于公元一九三一年研练之余，就其所知辑有《武术丛谈》一书，风行甚广。兹经及门多人，迭请续著，乃出澄甫先生当年所授拳剑刀枪各图多幅，更以平时阅历经验所得，辑成续篇。有志事业增进健康者，于良师益友外，可获按图参考之益。书成见示，并征序于余，以余之浅尝无术，何敢缀言，特感于先生自利利他之本怀，情何能已，因则聊赘数语，藉以塞责云尔。

公元一九五六年夏月

七六朽人沈培滋序

# 序

吾浙素以擅天下山水之胜名，钟灵毓秀，以是代有奇杰诞生；或以文章称，或以勋业显，或以侠义武功著。其昭垂史册散见传记者，盖指不胜偻。其生于前代已为古人者，吾愧未及见，徒心向往之而已。其生于现代，享遐龄居林下而岿然独存，吾得以瞻丰采而聆謦欬者，则有一人焉，黄山樵先生是也。先生为吾浙宿将，诗书画俱工，并精武术，足迹遍海内，多遇异人奇士师事之，得其薪传而承其衣钵，以故年逾古稀以上，遽望之犹如五十许人，雍容尔雅，粹然儒者，而内外功造诣俱深，著作尤富。所谓以文章称，以勋业显，以侠义武功著者，先生盖兼而有之矣，可不谓之吾浙之奇杰也哉。

岁丙申，先生以所著《武术丛谈续篇》见示，读之益为心折。吾三十年前亦曾师事杨澄甫、杜心五两先生，惜困于俗冗，浅尝辄止，蹉跎岁月，至老无成。今读斯篇，弥增愧矣。篇中立论精深透辟，悉中窍要，非得是中三昧者，不克道其只字。世之有志武术者，诚能手此一篇，沉潜玩味而身体力行之，必能悟妙，得其要而蔚为名家也。吾谫陋无文，复孱弱不武，愧无以负先生之望，谨聊缀数语，以志景仰云尔。

古越潘逸民志

时丙申初夏

# 跋



人身一小天地，阴阳、寒暑、刚柔、燥湿之义备焉。而动静贵乎中节，修养贵乎有常。流水不腐，户枢不蠹。欲其动也，身如槁木，心如死灰。欲其静也，求也退，故进之。由也兼人，故退之。人一能之，己百之；人十能之，己千之，欲其有常也，能中节矣。中也，能有常矣。庸也，不偏之谓中，不易之谓庸。自修身齐家，以至于治平，莫不由是武术亦何独不然。吾杭黄山樵先生，为浙军名将，娴武备而兼文事，有雅歌投壶、轻裘缓带之风。《三略》《六韬》，九流百氏，罔不赅博。年跻耆耋，归老湖山，出其余绪，著为《武术丛谈》（上下编），涵蓄湛深，词旨明畅，所以启发后进者至诚且笃。予得而展读之，窃叹其用力之勤，潜持之密，为不可及也。予不谙养生术，惟日常起居饮食、行止坐卧、出作入息之间，适可而止。不恋既往，不企未来，不求分外，与山樵之说盖有不谋而合者，故行年六十有五，顽健犹若成童，然以视山樵之清灵矫逸则瞠乎后矣。夫强国必先强种，强种必先强身。山樵此册，示吾人以动止运行之准则，安得人手一编，为东亚病夫解嘲于全世界也。敬以数言，介于学者，至其授受之源流，锻炼之家数，沈潘两序已详言之，故不赘述云。

丙申初冬

同里后学蒋絅裳

# 跋

余少有羸疾，百药难瘳。年十五，延同里黄聿声先生授课，先生虑余体弱，出家藏《八段锦》《易筋经》旧抄珍本，并授以习练方法。而先慈钟爱逾恒，勿许。乃于每晨潜持，数月无间，胃纳骤进，日须五餐，转弱为强。继又授以走陡板、打砂包等武术。行之未久，拳平步健膂力胜侪辈。惜是岁仲冬，亲命授室，自此辍学。壮乃奔走于衣食。今年逾花甲，尚无衰象，实得力于此。感念黄师，宛同再造，忠心耿耿，未报深恩于万一，引为恨事。近识吾浙武术专家黄山樵先生，得畅聆其轶事，乃知八段锦为达摩祖师所传，内练精气神，外练筋骨皮，确能脱胎换骨。余昔得此，未能深造，所谓入宝山而空回，岂不大可惜哉？今读其所著《武术丛谈》（上下编），理论精辟，可为实践津梁，真能无师自通，不致盲修瞎练，增益身心，世不多遘。有志武术者，幸勿交臂失之，蹈吾前辙焉。

丙申冬十一月下浣

绍兴后学田宿宇谨识

# 太极拳谱

## 太极拳论

未有天地以前，太空无穷之中浑然一气，乃为无极，无极之虚气，即为太极之理气。太极之理气，即为天地之根荄。化生人物，始初皆为化生，一生之后，化生者少，形生者多。如木中生虫，人之生虱，皆属化生。若无身上汗气，木无朽气，如何得此根荄？可见太极之理气，即是天地之根荄。（疑有遗漏）

一举动，周身俱要轻灵，尤须贯串。气宜鼓荡，神宜内敛。无使有凹凸处，无使有断续处。其根在于脚，发于腿，主宰于腰，形于手指，由脚而腿而腰，总须完整一气，向前退后，乃得机得势。有不得机不得势处，身便散乱，其病必于腰腿求之。上下前后左右皆然。凡此皆是意，不在外面。有上即有下，有前即有后，有左即有右。如意要向上，即寓下意。若将物掀起，而加以挫之之意。斯根自断，乃坏之速而无疑。虚实宜分清楚，一处有一处虚实，处处总此一虚实、周身节节贯串，毋令丝毫间断耳。

## 王宗岳先师拳论

太极者，无极而生，阴阳之母也。动之则分，静之则合，无过不及，随屈就伸。人刚我柔谓之走，我顺人背谓之黏。动急则急应，动缓则缓随，虽变化万端，而理惟一贯。由着熟而渐懂劲，由懂劲而阶及神明，然非用力之久，不能豁然贯通焉。虚领顶劲，气沉丹田，不偏不倚，忽隐忽现。左重则左虚，右重则右杳。仰之则弥高，俯之则弥深。进之则愈长，退之则愈促。一羽不能加，蝇虫不能落。人不知我，我独知人，英雄所向无敌，盖由此而及也。斯技旁门甚多，虽势有区别，概不外壮欺弱、慢让快耳。有力打无力，手慢让手快，是皆先天自然之能，非关学力而有为也。察四两拨千斤之句，显非力胜。观耄耋能御众之形，快何能为?立如平准，活似车轮，偏沉则随，双重则滞。每见数年纯功不能运化者，率自为人制，双重之病未悟耳。若欲避此病，须知阴阳。黏即是走，走即是黏，阴不离阳，阳不离阴，阴阳相济，方为懂劲。懂劲后愈练愈精，默识揣摩，渐至从心所欲。本是舍己从人，多误舍近求远，斯谓差之毫厘，谬以千里，学者不可不详辨焉。长拳者，如长江大海，滔滔不绝也。十三势者，掤、捋、挤、按、採、挒、肘、靠，此八卦也。进步、退步、左顾、右盼、中定，此五行也。掤捋挤按，即坎离震兑，四正方也。採挒肘靠，即乾坤艮巽，四斜角也。进退顾盼定，即金木水火土也。此论句句切要，并无一字敷衍陪衬。非有宿慧，不易悟也。先师不肯妄传，非独择人，亦恐枉费工夫耳。

## 十三势行功心解

以心行气，务令沉着，乃能收敛入骨。以气运身，务令顺遂，乃能便利从心。精神提得起，则无滞重之虞，所谓顶头悬也。意气须换得灵，乃有圆活之妙，所谓变转虚实也。发劲须沉着松净，专注一方。立身须中正安舒，撑支八面。行气如九曲珠，无微不到。运劲似百炼钢，无坚不摧。形如搏鸟之鹗，神如捕鼠之猫。静如山岳，动若江河。蓄劲如开弓，发劲如放箭，曲中求直，蓄而后发。力由脊发，步随身换，收即是放，放即是收，断而复连。往复须有折叠，进退须有转换。极柔软然后极坚刚，能呼吸然后能灵活。气以直养而无害，劲以曲蓄而有余。心为令，气为旗，腰为纛。先求开展，后求紧凑，乃可臻于缜密矣。又曰，先在心，后在身。腹松净，气敛入骨，神舒体静，刻刻在心。切记，一动无有不动，一静无有不静。牵动往来，气贴于背，敛入脊骨。内固精神，外示安逸。迈步如猫行，运劲似抽丝。全身重在精神，不在气，在气则滞。有气者无力，无气者纯刚。气如车轮，腰似车轴。

## 十三势歌

十三总势莫轻视，命意源头在腰胯。
变转虚实须留意，气遍身躯不可滞。
静中触动动犹静，因敌变化示神奇。
势势揆心须用意，得来不觉费工夫。
刻刻留心在腰间，腹内松净气腾然。
尾闾中正神贯顶，满身轻利顶头悬。
仔细留心向推求，屈伸开合听自由。
入门引路须口授，工夫无息法自修。
若言体用何为准，意气君来骨肉臣。
想推用意终何在，益寿延年不老春。
歌兮歌兮百四十，字字真切义无遗。
若不向此推求去，枉费工夫贻叹息。

## 推手歌

掤捋挤按须认真，上下相随人难进。
任君巨力来打咱，牵动四两拨千斤。
引进落空合即出，沾连黏随不丢顶。

## 大捋约言

我捋他肘，他上步挤，我单手搧，他转身捋，我上步挤。他逃体，我再捋，他上步挤。

## 杨镜湖先生约言

曰：轻则灵，灵则动，动则变，变则化。

## 太极拳名称

| | | | |
|---|---|---|---|
| 预备式 | 揽雀尾 | 单鞭 | 提手上势 |
| 白鹤亮翅 | 左搂膝拗步 | 手挥琵琶 | 左搂膝拗步 |
| 右搂膝拗步 | 左搂膝拗步 | 手挥琵琶 | 左搂膝拗步 |
| 进步搬拦捶 | 如封似闭 | 十字手 | 抱虎归山 |
| 揽雀尾 | 肘底看捶 | 左右倒撵猴 | 斜飞势 |
| 提手上势 | 白鹤亮翅 | 左搂膝拗步 | 海底针 |
| 蟾通背 | 劈身捶 | 进步搬拦捶 | 上步揽雀尾 |
| 单鞭 | 云手 | 单鞭 | 高探马 |
| 左右分脚 | 转身蹬脚 | 左右搂膝拗步 | 进步栽捶 |
| 翻身劈身捶 | 进步搬拦捶 | 右蹬脚 | 左右打虎势 |
| 回身右蹬脚 | 双风贯耳 | 左蹬脚 | 转身右蹬脚 |
| 进步搬拦捶 | 如封似闭 | 十字手 | 抱虎归山 |
| 揽雀尾 | 斜单鞭 | 左右野马分鬃 | 上步揽雀尾 |

| | | | |
|---|---|---|---|
| 单鞭 | 玉女穿梭 | 上步揽雀尾 | 单鞭 |
| 云手 | 单鞭 | 斜身下势 | 左右独立金鸡 |
| 倒撵猴 | 斜飞势 | 提手上势 | 白鹤亮翅 |
| 左搂膝拗步 | 海底针 | 蟾通背 | 转身劈身掌 |
| 转身白蛇吐信 | 进步搬拦捶 | 上步揽雀尾 | 单鞭 |
| 左右云手 | 单鞭 | 高探马 | 转身右蹬脚 |
| 左搂膝指裆捶 | 上势揽雀尾 | 单鞭 | 斜身下势 |
| 上步七星 | 退步跨虎 | 转身双摆连 | 弯弓射虎 |
| 上步搬拦捶 | 如封似闭 | 十字手 | 合太极 |

(揽雀尾中动作即是掤捋挤按四动作)

## 太极剑名称

| | | | |
|---|---|---|---|
| 三环套月 | 魁星势 | 燕子抄水 | 左右边扫 |
| 小魁星 | 燕子入巢 | 灵猫捕鼠 | 凤凰点头 |
| 黄蜂入洞 | 凤凰右展翅 | 小魁星 | 凤凰左展翅 |
| 钓鱼势 | 左右龙行势 | 宿鸟投林 | 乌龙摆尾 |
| 青龙出水 | 风卷荷叶 | 左右狮子摇头 | 虎抱头 |
| 野马跳涧 | 勒马势 | 指南针 | 左右迎风打尘 |
| 顺手推舟 | 流星赶月 | 天马飞瀑 | 燕子衔泥 |
| 挑帘势 | 左右车轮 | 燕子衔泥 | 大鹏展翅 |
| 凤凰点头 | 海底捞月 | 怀中抱月 | 哪吒探海 |
| 犀牛望月 | 射燕势 | 青龙现爪 | 凤凰双展翅 |
| 左右餐监 | 射燕势 | 白猴献果 | 左右落花势 |
| 玉女穿梭 | 白虎搅尾 | 鱼跳龙门 | 左右乌龙绞柱 |
| 仙人指路 | 朝天一炷香 | 风扫梅花 | 牙笛势 |
| 抱剑归原 | | | |

## 太极剑歌

剑法从来不易传，直来直去是幽玄。

若仍欺我如刀割，笑死三丰老剑仙。

注：剑法有十三势，其中以乘机而刺、顺势而带此两法是最难练，而对方最难避。学者须练劲至剑尖，方合此法。其详见武当剑法。

## 太极刀名称歌

七星跨虎交刀势，腾挪内张意气扬。

左顾右盼两分张，白鹤展翅五行掌。

风卷荷花叶底藏，玉女穿梭八方势。

三星开合自主张，二起脚来打虎势。

披身斜挂脚鸳鸯，顺手推舟鞭作篙。

下势三合自由招，左右分水龙门跳。

卞和携石凤还巢，吾师留下四方赞。

口传心授不能忘，“搅、斫、剁、划、截、刮、撩、挖”。

## 太极黏连枪

太极十三枪之初步四枪法。其执枪步位与普通枪法同。

甲，头一枪进步刺心。甲，二枪进步刺腋。甲，三枪进步刺膀。甲，四枪进步刺喉。（注：此名四黏枪）

甲前进时照上法黏连乙枪而刺，乙黏连甲枪而退，到第四枪甲刺喉止。再由乙前进刺甲之心腋膀喉，而甲黏乙枪后退至第四枪止。于是更番交换练习之。（其详见下同）最注意者，甲乙二人之枪，不分不丢，始终黏连。

续编各图仅注名称，而无动作说明。

盖凡百技击，必须经师面授，再三指示，方可学习，决不能无师自通，照书拟作。而图不可少，见图可知大概形状，较之字里行间所说，清楚多矣。

# 杨澄甫先师太极拳图

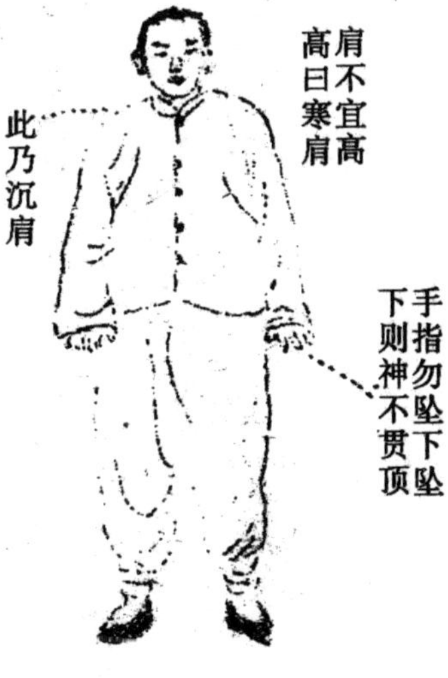
肩不宜高
高曰寒肩
此乃沉肩
手指勿坠下坠
下则神不贯顶

图1　太极拳起势

图2 揽雀尾（右式）

图3 揽雀尾（左式）

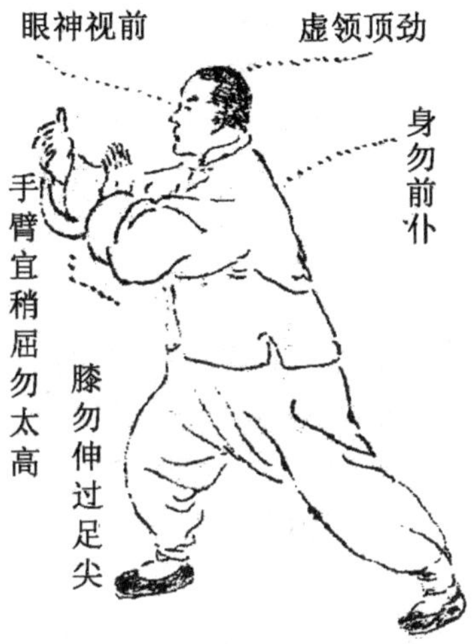
眼神视前
虚领顶劲
身勿前仆
手臂宜稍屈勿太高
膝勿伸过足尖

图4　掤

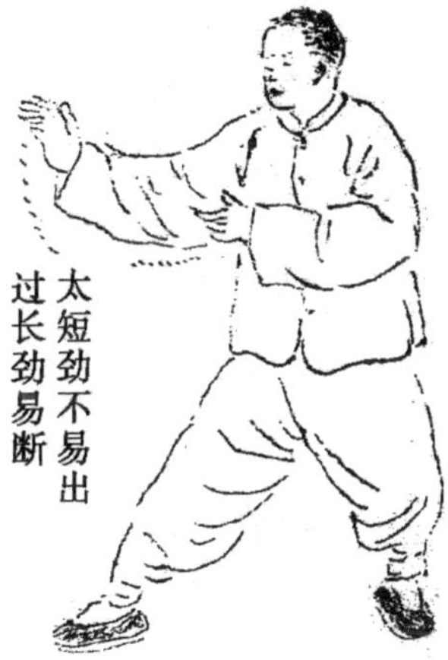
太短劲不易出
过长劲易断

图5　捋

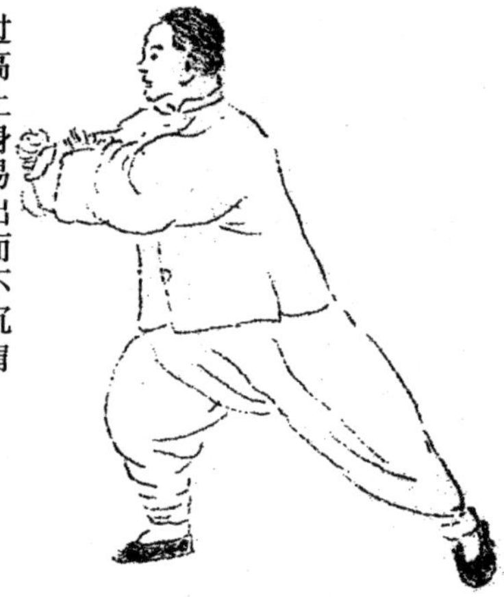
过高上身易出而不沉肩


图6　挤

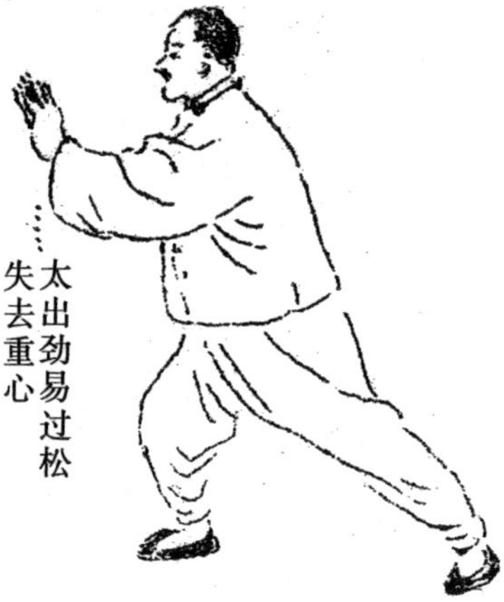


图7　按

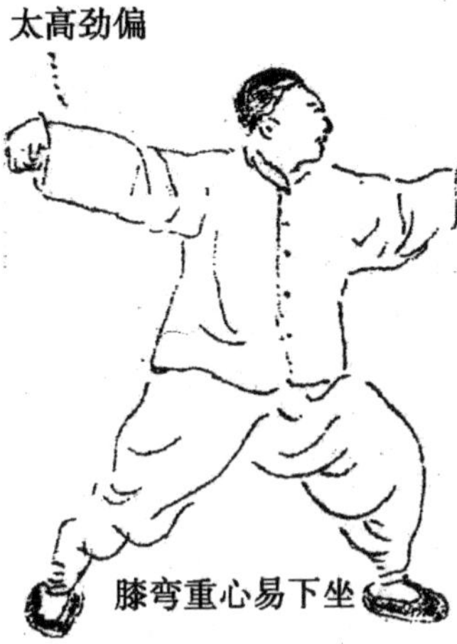
太高劲偏
膝弯重心易下坐
图8　单鞭

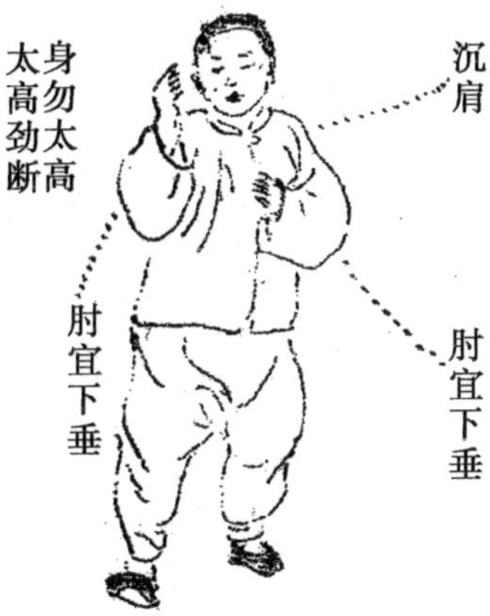
身勿太高
太高劲断
沉肩
肘宜下垂
肘宜下垂
图9　提手上势

图 10　白鹤亮翅

图 11　搂膝拗步（左式）

图 12　手挥琵琶

图 13　搂膝拗步（右式）

图 14　撇身捶后撅臂式

图 15　上步搬拦捶

图 16　如封似闭

图 17　抱虎归山（一）

图 18　抱虎归山（二）

图 19　抱虎归山（三）

图 20　肘底捶

图 21　倒撵猴（右式）

图 22　倒撵猴（左式）

图 23　斜飞式

图 24　海底针

图 25　扇通背

图 26　转身撇身捶（一）

图 27　转身撇身捶（二）

图 28　进步搬拦捶

图 29　云手（一）

图30　云手（二）

图31　云手（三）

图 32　高探马

图 33　右分脚（一）

图 34　右分脚（二）

图 35　左分脚（一）

图 36　左分脚（二）

图 37　转身蹬脚

图 38　右搂膝拗步

图 39　右搂膝拗步

图 40　进步捶

图 41　转身撇身捶（一）

图 42　转身撇身捶（二）

图 43　右踢脚

图 44　左打虎

图 45　右打虎

图 46　双风贯耳

图 47　左踢脚

图 48　转身蹬脚

图 49　横单鞭

图 50　野马分鬃（右式）

图 51　野马分鬃（左式）

图 52　玉女穿梭（一）

图 53　玉女穿梭（二）

图 54　玉女穿梭（三）

图 55　玉女穿梭（四）

图 56　蛇身下势

图 57　金鸡独立（右式）

图 58　金鸡独立（左式）

图 59　转身白蛇吐信

图 60　十字手

图 61　转身十字腿

图 62　搂膝指裆捶

图 63　上步七星

图 64　退步跨虎

图 65　转身摆连

图 66　弯弓射虎

图 67　合太极

本编各图内有三次云手、三次倒撵猴，因式样相同，故未重绘。学者应依太极拳全套名称习练。

图 68　马步站桩式

图 69　採腿式

图 70　搂膝拗步

图 71　倒撵猴

# 练武术之根本学习（为师者不可不从此学起）

拳师之根本功夫，至少练（1）站桩；（2）压腿；（3）走矮步。

站桩：不站桩腰腿没有根，站立不稳。即前图上四式（至少四式）。压腿、搁腿、游腿，非如此则腿踢不高，蹬腿不直，没有劲。普通踢蹬，至少脚尖要踢到鼻尖，深一点工夫到嘴唇，再深到下颔。吾师海灯和尚脚背可以贴头顶，平时常走矮步，其形状仿佛太极拳中搂膝拗步。前进而行，环行、直行皆可，但忌脚步有响声。腰背要直，不可弯腰曲背。不走矮步，练拳出步不快。裆与胯不能松下，就是身法不好，非但没功架，即运动筋骨说，亦少一部分运动也。以上所说，无论武当门、少林门，一切练武术者，皆从此学起。这是最起码条件，尚有各专门工夫，限于篇幅不多及。

练武艺与做广播操、徒手体操等等不同，皆有特别传授，刻苦学习，极尽坚毅忍耐工夫。例如，汉时张良圮上遇黄石公，三进其履而得其书。诸葛武侯在山中师事高僧三年，而得天文、地理、行军、治国之学，出将入相，为一代完人（《梵天庐丛》话载）。古来名臣良将，其所以成丰功伟业者，皆由积学而成，并非偶然获得。尤其是对于师长之侍奉，必须敬师重道。如岳武穆王，幼年学艺时极尊敬其师，迨其师逝世，禀明尊人，为师服孝三年。师故后尚如此追念，其生前之尊敬可知。故岳王立功卫国，由其武术超群，实得师特别传授也。须知为师者功夫得来不易，皆由苦练而成，当然不肯轻易授人。故为徒者务必极尽恭敬孝顺之道，方冀业师之特别传授。应知教与传不同，教者普通之学习，传者另有特别功夫，非寻常之指教也。

功夫与工夫不同。工夫指每日练习而言，如木作农夫之每日作工至功夫二字，是某种技艺。练到生出功效，在任何场合，任何时间，皆能不失功效。例如晚清董老公，他是八卦门名师，原系太监出身。迨临命终时，徒弟为其换裤，他口不能言，而心中不愿，两手一托，其徒送出窗外。已到绝命断气时其功效尚在，真可谓成功者矣。

练武艺，必须深究理论，刻苦实践。理论有书面记录，有口头传述。书面记录者，俗称拳谱；口头传述者，江湖上称为春点，即是口诀。所谓“能教千般艺，莫教一口春”。所谓得诀不得诀，若得诀，事半功倍；不得诀，枉费工夫遗太惜。（《太极拳论》）理论即是技艺中先进经验之记录，也是历代先师经验之结晶。俗语云：要知山下路，须问过来人。实践即技艺中之动作，即是理论上之实践。一而二，二而一，两者不可缺一。否则便是盲修瞎练，目前不见损伤，日后必生疾病。深愿有志青年，三复斯言。

为师者如遇相当可造之才，必须尽心传授。大将军年羹尧书房联曰："误人子弟天诛地灭，薄待师傅男盗女娼。"是联极尽师弟之情谊矣。

上列各节前篇已详论，今再复述者，愿学人勿误入歧途，为师者勿深闭固拒而勿传也。

# 推　手

## 定步单手推手图

图1　单按式之一

图2　单按式之二

## 定步双手推手图

图3　双手平圆沾黏推手法

图4　定步推手甲掤式

图5　定步推手甲捋式

图6　定步推手挤式

图7　定步推手甲按式

图8　定步推手甲化式

## 活步推手

在定步推手练至腰腿均可沾黏连随，身法步法咸能和顺自然、随机应变、无丝毫拙力后，进一步乃练活步推手，使周身上下一致。在动步时，能化人发人。

练法：初时两人盘圆圈，使手足前进后退，左顾右盼中定，皆能合拍，快慢平匀。万不可手快足慢，或手慢足快，亦不可足未到而手先到，或手未到而足已到。其步法亦如定步推手，合步顺步均可。例如，甲乙两人对立，各将右足踏前一步，甲双手按乙右手肱部，同时右足提起向前踏进半步。乙被按后，即坐腰松胯坐腿，向后化之，同时右足向后退半步（此为右式、左式亦同）。甲按势将尽后以左足上前一步，或攻或守，再将右足上前一步，或挤或按。乙化甲或挤或按后，右足向前踏出半步，双手按甲右手肱部。甲坐腰松胯坐腿，向后化之，同时左足向后退半步。总之，进者为二步半，退者亦为二步半。二人掤、捋、挤、按、化，一如定步推手，须式式分清，随势应用。此乃初步练习方法，艺深者可不拘步数。至于杨家老式活步推手，其进退步法与上述者不同。前步进者，后步并上。后步退者，前步后收，进退二步或四步或六步均可，惟皆须以腰腿为主动枢纽，动步宜分清虚实。倘二人为顺步者，则进者之第一步，当置于退者足之外侧面，一切动作较上述为难。活步推手，除身体中正、虚领顶劲、含胸拔背、沉肩垂肘、气沉丹田、尾闾收住、松腰松胯、周身一致外，至有相当程度后于内部气之呼吸，亦当注意。惟初练时只求自然可矣，不必顾及因外式尚未纯熟故也。内部气之呼吸，可参阅卷一第九页太极拳中气之呼吸及运气法章内。活步推手除练腰腿手足上下一致外，尚能使气分延长，心身耐劳，此乃补定步推手之不足。而活步推手亦分高中低三种架子：初步练高架子，次练中架子，后练低架子。依次练熟后，复须同时练习此三种架子。在活步推手时，除前进、后退、左顾、右盼、意气相合、眼神注视外，对于中定尤须加以注意，否则不能化人发人，且己之重心易失。故太极拳老谱中云：

退圈容易进圈难，不离腰腿后与前。
所难中上不离位，退易进难仔细研。
此为动功未站定，使身进退并比肩。
能如水磨催急缓，云龙风火相周旋。
要用天盘从此灭，久而久之出天然。

由此可见活步推手之重要矣。至于详细动作，则非经教者之口授心传不可。

## 定步大捋图

掤在敌闪己，或捋己，或按己手时，用腰腿颈以臂掤之。

捋在敌闪己面，或按己肱部时，用腰腿劲捋其闪手之臂。

挤在将捋时，己若不用捋或闪，乘势可变为挤。

按在敌靠己后，用手法、步法、身法，上下一致，上步双手变按。

採在捋敌时，执敌之手腕，以腰腿劲往下採之。

挒在採后或捋后，用腰腿劲，以手背向敌领间斜击之。

肘在敌捋己时，被捋之手臂可变为肘，肘可击敌之心窝部，其势甚猛，惟不善用者易于伤人。

靠在敌捋己时，以被捋手臂之肩上步靠敌心窝，靠在大捋中，虽知者甚多，惜乎多用之不得其法，如距离过远或太近均不能得势。过远则冲撞，太近则势闭。故靠时己身须中正，脚步插入敌人裆中，两肩平沉，勿一高一低，用腰腿劲加以意气向前往下靠之，其劲为寸劲或分劲。

闪在捋敌后防敌靠己，随以手掌闪其面部。

撅在捋敌时，一手执敌手腕，一手肱部用腰腿劲，撅敌被捋手之肘部，随势俯身往下，向前撅沉其臂。

总之无论何式，均须合太极拳基本要点，即虚领顶劲，含胸拔背，沉肩垂肘，坐腰松胯，尾闾中正，上下一致。他如腰腿劲加以意气及眼神注视，尤为大捋中之主要原则。此外尚有一点不可不注意者，即大捋时双手必须与敌相黏（至少一手如此），否则劲断易为敌乘隙而入，而己亦不能知敌之劲路矣。又两手必须互相卫护，如在靠敌时，另一手须附于靠手之肘弯内部，以防敌之撅臂或闪面部。如在挒时，另一手则须拿住敌近己身之手臂，否则己未捌敌，而反为敌以肘击己心窝。

凡此类详细切要关键，非经名师口授不可。至于大捋中气之呼吸，可参阅卷一第九页太极拳中，气之呼吸及运气法章内。

至大捋之方法，大抵可分为二：一为动作方向皆固定者；一为动作方向不固定者（即可自由之意）。

图9　大捋甲掤式

图10　大捋甲捋式

图 11　大捋甲闪式

图 12　大捋乙按式

## 活步大捋图

图 13　大捋甲挤式

图 14　大捋甲採式

图 15　大捋甲横挒式

图 16　大捋乙用肘式

图 17　大捋甲靠式

图 18　大捋乙擨式

# 太极剑

## 太极剑（太极剑与武当剑参看陈氏拳谱武当剑法大要）

太极剑，亦称十三势剑，有十三字诀：抽、带、提、格、击、刺、点、崩、搅、压、劈、截、洗，为杨家晚年著名武器之一。剑式姿势美观，用法奥妙，动作全以腰腿为主，不离乎太极拳之原则。动作时，务宜虚领顶劲，含胸拔背，沉肩垂肘，松腰活腕，气沉丹田，劲由脊发。惟此剑易学难精，凡初学之人，于未有深功时贸然练习，泰半有强拗断离、姿势欠美等现象。斯皆因腰腿无功，不明用法所致。本编为使学者确实了解起见，特在叙述太极剑动作与用法前，略将剑之正义稍加阐明，俾爱好此道者有径可踵，而免误入歧途之虞。夫剑（除尖刃外）为两面有口利器，不分正反面，两面均可使用，锐利异常。用者万不可以手抽拉，或贴靠身体，或盘头拦腰，否则人未受损而己已受伤矣。是以用剑必须周身轻灵，动作敏捷，精神提起；上贯于顶，呼吸自然，眼视剑尖，使精气神与剑合而为一。手之执剑须轻松灵活，不可以五指握之太紧，有碍活用，只须以大指、中指及无名指三指执之，其食指与小指宜时常松开，而掌中亦当空虚如执笔状。其出剑内劲起于丹田，发自脊背，由臂达于剑尖。发时如矢之赴的，勇往直前，人剑微动，而己剑已到，夫如是然后可以出神入化。语用剑之妙，尽剑法之长至剑之效用，最著者乃在攻人之腕（手腕）。在与人武器交手时，设能首创其腕，则对方所持武器即失其效用。古代艺高者之名剑，在剑首二三寸处，锋口必非常锐利，盖即以之能攻人之腕，刺人之心，刺人之膝也。此外对于剑镡（即剑柄尾部）亦当注意，务使另一手常置镡后，勿越过镡前。俗云："单刀看手，宝剑看镡。"学者能明乎此，则大疵可免焉。

## 太极剑名称

| | | | |
|---|---|---|---|
| 起势 | 上步合剑式 | 仙人指路 | 三环套月 |
| 大魁星 | 燕子抄水 | 左右拦扫 | 小魁星 |
| 黄蜂入洞 | 灵猫捕鼠 | 蜻蜓点水 | 燕子入巢 |
| 凤凰双展翅 | 右旋风 | 小魁星 | 左旋风 |
| 等鱼式 | 拨草寻蛇 | 怀中抱月 | 送鸟上林 |
| 乌龙摆尾 | 风卷荷叶 | 狮子摇头 | 虎抱头 |
| 野马跳涧 | 翻身勒马 | 指南针 | 迎风掸尘 |
| 顺水推舟 | 流星赶月 | 天鸟飞瀑 | 挑帘式 |
| 左右车轮剑 | 燕子衔泥 | 大鹏展翅 | 海底捞月 |
| 怀中抱月 | 夜叉探海 | 犀牛望月 | 射雁式 |
| 青龙探爪 | 凤凰双展翅 | 左右跨拦 | 射雁式 |

| | | | |
|---|---|---|---|
| 白猿献果 | 落花式 | 玉女穿梭 | 白虎搅尾 |
| 鱼跳龙门 | 乌龙绞柱 | 仙人指路 | 风扫梅花 |
| 手捧牙笏 | 抱剑归原 | | |

图1　起势

图2　上步合剑式

图3　仙人指路

图4　三环套月（一）

图5　三环套月（二）

图6　三环套月（三）

图7　大魁星

图8　燕子抄水

图 9　右拦扫

图 10　左拦扫

图 11　小魁星

图 12　黄蜂入洞

图 13　灵猫捕鼠（一）

图 14　灵猫捕鼠（二）

图 15　燕子入巢（一）

图 16　燕子入巢（二）

图 17　燕子入巢（三）

图 18　凤凰双展翅

图 19　小魁星

图 20　等鱼式

图 21　拨草寻蛇（一）

图 22　拨草寻蛇（二）

图 23　怀中抱月

图 24　送鸟上林

图 25　乌龙摆尾

图 26　风卷荷叶（一）

图 27　风卷荷叶（二）

图 28　风卷荷叶（三）

图 29　狮子摇头

图 30　虎抱头

图 31　野马跳涧

图 32　翻身勒马

图 33　指南针

图 34　迎风掸尘（一）

图 35　迎风掸尘（二）

图 36　顺水推舟

图 37　流星赶月

图 38　天鸟飞瀑

图 39　挑帘式

图 40　左右车轮剑（一）

图 41　左右车轮剑（二）

图42　左右车轮剑（三）

图43　大鹏展翅

图44　海底捞月

图 45　怀中抱月

图 46　夜叉探海

图 47　犀牛望月

图 48　射雁式

图 49　青龙探爪

图 50　凤凰双展翅

图 51　左右跨拦（一）

图 52　左右跨拦（二）

图 53　白猿献果

图 54　玉女穿梭

图 55　白虎搅尾

图 56　乌龙绞柱（一）

图 57　乌龙绞柱（二）

图 58　乌龙绞柱（三）

图 59　仙人指路（一）

图 60　仙人指路（二）

图 61　手捧牙笏

图 62　抱剑归原（一）

图 63　抱剑归原（二）

## 太极剑歌

剑法从来不易传，如龙似虹最幽玄。

倘若砍伐如刀式，笑死三丰老剑仙。

# 太极刀

## 太极刀名称歌

七星跨虎意气扬，白鹤亮翅暗退藏。
风卷荷花隐叶底，推窗望月偏身长。
左顾右盼两分张，玉女穿梭应八方。
狮子盘球向前滚，开山巨蟒转身行。
左右高低蝶恋花，转身捁撩如风车。
二起腿来打虎势，鸳鸯腿发半身斜。
顺水推舟鞭作篙，翻身分手龙门跳。
力劈华山抱刀势，六和携石凤回巢。

图1　起势

图2　上步七星

图3　左转七星

图4　白鹤亮翅

图5　转身藏刀式

图6　斜推刀

图7　左撩

图8　右撩

图9　正推刀

图10　玉女穿梭

图 11　平拉

图 12　转身盘头藏刀式

图 13　左刮

图 14　右搧

图 15　撩刀式

图 16　掐刀式

图 17　散步打虎势

图 18　转身盘头藏刀式

图 19　顺水推舟（一）

图 20　顺水推舟（二）

图 21　跳步剁刀

图 22　力劈华山

图23　抱刀式

图24　刺刀式

图 25　翻身换步砍刀式

图 26　收刀势

# 太极枪

太极门中刺枪法，初学先练开合，如图。此法完全在腰劲，膀劲次之。身体中正，两足分虚实；左手执杆向左仰为开，向右覆为合，杆头与目齐，右把在腰间。



## 单练刺枪法

图1　开势

图2　合势

图3　滑刺势

滑刺势。其法前把稍松，使后把将杆向前通出，通至左右两手把相近，务使全杆向前方直出，杆尖直向目标。两手掌在通出时向上，收回时向下，如一翻一覆。

图 1　双人平圆沾黏扎杆法（刺肩式）

图 2　双人平圆沾黏扎杆法（刺腿式）

图 1　双人立体圆形沾黏扎杆法之一

图 2　双人立体圆形沾黏扎杆法之二

图 1　双人动步扎四杆法之一

图 2　双人动步扎四杆法之二

图3　双人动步扎四杆法之三

图4　双人动步扎四杆法之四

# 太极拳用法散手对打图

图1 （上手）上步捶

图 2　（下手）提手上势

图 3　（上手）上步拦捶

图4　（下手）搬捶

图5　（上手）上步左靠

图 6　（下手）右打虎

图 7　（上手）打左肘

图8 （下手）右推

图9 （上手）左劈身捶

图 10　（下手）右靠

图 11　（上手）撤步左打虎

图 12　（下手）右劈身捶

图 13　（上手）提手上势

上　　下

图 14　（下手）转身按

上　　下

图 15　（上手）折叠劈身捶

图 16 （下手）搬捶（开势）

图 17 （上手）横挒手

图 18　（下手）左（换步）野马分鬃

图 19　（上手）右打虎（下势）

图 20　（下手）转身撤步捋

图 21　（上手）上步左靠

图22　（下手）转身按

图23　（上手）双分蹬脚（退步跨虎）

图 24　（下手）指裆捶

图 25　（上手）上步採挒

图 26　（下手）换步右穿当

图 27　（上手）左搠右劈捶

图 28　（下手）白鹤亮翅（蹬脚）

图 29　（上手）左靠

图 30 （下手）撤步搋臂

图 31 （上手）转身按（捋势）

图 32　（下手）双风贯耳

图 33　（上手）双按

图 34　（下手）下势搬捶

图 35　（上手）单推（右臂）

图 36　（下手）右搓臂

图 37　（上手）顺势按

图 38　（下手）化打右掌

图 39　（上手）化推

图40　（下手）化打右肘

图41　（上手）採挒

图 42 （下手）换步搬

图 43 （下手）右打虎

图 44　（下手）转身撤步捋

图 45　（上手）上步左靠

图 46　（下手）回挤

图 47　（上手）双分靠（换步）

图 48　（下手）转身左靠（换步）

图 49　（上手）打右肘

图 50 （下手）转身金鸡独立

图 51 （上手）退步化

图 52　（下手）蹬脚

图 53　（上手）转身上步靠

图 54　（下手）撅左臂

图 55　（上手）转身（换步）右分脚

图 56　（下手）双分右搂膝

图 57　（上手）转身（换步）左分脚

图 58 （下手）双分左搂膝

图 59 （上手）换手右靠

图 60　（下手）回右靠

图 61　（上手）上步左揽雀尾

图 62　（下手）右云手

图 63　（上手）上步右揽雀尾

图 64　（下手）左云手

# 太极拳简史

太极拳相传为张三丰所传。张三丰名通，字君实，辽阳人。元季儒者，善书画，工诗词。中统元年，举茂才异等，游宝鸡山，见有三峰挺秀，因号三丰子。洪武初，召之入朝，路阻武当山，梦玄武大帝，授以拳艺，且以破贼，故名曰武当派，传张松溪、张翠山多人。或曰，三丰系宋徽宗时人，值金陵入寇，彼以一人杀金兵五百余。山陕人慕其勇，从学甚多。元世祖时，有西安人王宗岳，得其真传，名闻海内，著有《太极拳论》《太极拳解》《行功心解》《推手歌》《总势歌》等。转辗传于浙东王征南，又传河南蒋发。蒋传于怀庆陈家沟陈长兴。时有杨露禅名福魁者，直隶广平永年县人，闻其名，与李伯魁共往师焉。陈见其勤苦学习，感而传其秘。杨归游燕京，客诸府邸，清亲贵王公贝勒多从受业焉。杨有三子，长名锜，早亡；次名钰，字班侯；三名鉴，字健侯，亦曰镜吾，皆获盛名。有子三：长曰兆熊，字梦祥；仲名兆元，早亡；叔名兆清，字澄甫，于民国十八年浙江国术馆聘为教务长，从其学者多人，后因政变离浙寓沪，未几为粤桂当道聘往授艺，著有《太极拳体用全书》。澄甫先师身躯伟岸，性情和蔼，教人先以开展，后求紧凑，所授各艺，拳、剑、刀、枪等，秉承家学。当时有增减拳套中动作者，澄师极不以为然，曰：吾辈之艺能超先辈否？艺未学成便欲改革前辈典范，太不自量也！平时与人推手，常发人两三丈外。二人对枪时，其劲尤猛烈，非锻炼有素、学有成就者，不能领略其工夫，诚非一般拳师中所能表演者也（某年上海宁波同乡会，举行欢迎杨老师会，其中有多年拳师武汇川者，与杨老师表演对枪。两杆相交，杨举一枪，武蹼跌寻丈外。如是者三次，在场观者均露惊骇之色，武竟无以自卫。后经人询杨，武何以如此。杨曰武身长力巨，不善化用，反受其弊。此用接劲法，来者劲愈大，跌愈远，推手法中亦如此。若初学或妇人孺子，决无如此之狼狈云云。当时编者亦在欢迎之列）。

# 修炼、健康与保养

## 应用约言

《太极拳谱》中所云，约言之，内练心意气，外练筋骨皮。至于应用法，听（手上神经之感觉，非耳听）化拿与发“四要”。听者手上、臂上、肩上与对方接触时之感觉，因听而生变化，即将对方之劲，化而为空。谱上云“引进落空”之谓，下句云“合即出”，合即是拿，出即是发，即是发动之发。换言之，即是引对方对我使用之力落于空，而我合彼之力而发出之，并非四要法专用于此。其他如採、挒、肘、靠、掤、捋、挤、按八法中，皆遇有此四要之时机，即用此四要。无论在推手，在大捋，在散手，在器械，皆能用之（其详细见本谈前编中表解）。总之，学人照谱中所云，尽心揣摩，经师指导，自然能用之。

## 武术修炼与健康

武术者，包括斗殴与技击，如步战、马战、水战等之总称。

徒手相扑谓之斗，器械相击谓之战，中有个个战斗、集体战斗之别。《水浒传》中武松血溅鸳鸯楼，林冲棒打洪教头，为个个战斗。若用军行阵，以多数人在广场上互战，为之集体战斗。其中有战术战略战阵之分（阵图阵营阵式），运用之法为兵法。古来轩辕氏破蚩尤，韩信败楚，皆用阵法。战败敌人而达政治之目的，今暂不论。兹就徒手之斗殴，持械之技击，言之太极门各艺。其练习之纲要与程序，在前编中已言之，今再补述根概于左。

## 关于修炼

练拳之根本，先应站桩。站桩是练艺之根，习套是练拳之本。站桩初从八式站起，至少须站提手上势、手挥琵琶、单鞭、倒撵猴、云手等五式，站练到相当时间，继学拳套。此两级是学武艺之入手根本，非学太极拳如此，即少林门各艺，站马步入手，是武艺必经之路，行家所谓根蒂功夫也。

太极门各艺练习分五步：（1）站桩；（2）习拳套、定步推手、活步推手、定步大捋、活步大捋；（3）定式散手、不定式散手；（4）学器械剑、刀、枪（先短后长）；（5）教师喂练。所谓喂者，即为师者以身作靶，实地与徒实击。在此反复实击时，师传指示其距离、时间，发动、破法，等等，师身与徒试验之。此步功夫，古来为师者极少教授，学徒有极诚之孝顺或可得之。

## 交战之距离与其他

**一、距离**

为练习中最难最要之事。例如持枪作战，若二人相距太近，不能用其长；相距太远，则有所不及，尤其在马战、车战更为重要。

**二、时机**

时机果然快者胜于慢者，但不能得机亦难取胜。故须得适当之时与机位，机位即当时之环境。

**三、发劲**

既得其距离，又得其时机，若发劲不足（冷劲、断劲、接劲），等于虚作其势，反为敌人所乘而受其制。学发劲，即先学贯劲、出劲、移劲（务必避去僵劲）。

**四、破法**

见敌以何法来攻我，以何法破之，武艺中方法甚多。学者不能全学，审度自身合式之技，专门单练　二种。务必加以苦功，而后用之必能取胜。

上列四种属于外功。其更重要者是内功，即心要沉着，气要沉长。若心浮气燥，虽有绝技亦不能制胜。古哲曰：泰山崩于前而不惊，猛虎蹑于后而不慌。气不沉长不能持久，若气一喘心即摇，惶惶然无所措手足，虽有机位亦不能克敌矣。

若不从上列各项学习，只习某套拳，某套剑，几路刀，几路枪，是等于跳舞，决不能防身卫国得其实用，（无非）稍稍于手脚上灵活而已。技击家常言曰：三年好把势，不如一年烂戏子。因普通拳师只练其空架，未练其实用，不如戏剧中武生，每日三场五场，跳打、奔腾、刺击、旋绕，皆能应付自如，诚不可轻视其技术也。

学习武术，无论徒手与器械，必须要有师承，要有传授，要有理论与实践。理论就是各家拳谱，实践就是锻炼身心。理论就是先进经验，实践就是理论之实验，两者不可分离。专讲理论是空谈，专做动作是瞎练盲修。瞎练是有害而无益，其害处有在目前看到，有在日后发现。练形意拳打明劲不得法，便要伤脚跟，但明劲未打通不能练暗劲。如何使不受伤而能打通，须师傅面传口授。现在常见自出花样、别出心裁，将从前祖师所传的加上一拳两脚，或者减去一手两手，自己杜撰的来教人。简直拿来学的作试验品，如其练坏了身体，总说他自己练的不好。形意拳谱有十二本；八卦拳谱有两本，陈微明编著的一本；太极拳谱杨家的一本，陈家沟的两本，山西郝家的一本；皆是明代传下来拳谱，即是历代祖师心血的结晶，也就是效用的说明。例如达摩八段锦："摇头摆尾去心火，两手扳足固肾腰，调理脾胃单举手，双手托天理三焦。"此是很简单的动作与理论（相合），同时说明，拳谱是复杂的说明，万万不能离开拳谱去学拳。没有传授、没有理论地来教拳，等于不明医理、不明药性的人来治病，非但练不好身体，一定有危害性，一时不觉得，日多便发现，倒不如做广播操来得快活。

太极拳之动作，人人皆知要缓慢，要无力，初学者当然从缓慢入手。不缓慢，动作不能周到。但不能呆滞，不能僵硬，不能闭气。若呆滞僵硬，即不能松腰活腕，使气血不能充沛流行，行迹近阻碍。倘胸中闭气，则更为不可。谱曰："极柔软然后极坚刚，能呼吸然后能灵活。"人之呼吸，长短深浅各个不同，最好听其自然，不必故意做作，反碍各人先天自然之能。动作中最紧要者，如谱云："一举动周身俱要轻灵，尤须贯串，无使有凹凸处，无有断续处。"不用僵劲，不呆滞，方可轻灵。贯穿者，绵绵不断，脚手腿腰连贯一气而不停滞。普通学人皆注意在手腕，实际上最要者在腰腿。谱曰："其根在于脚，发于腿，主宰于腰，形于手指……有不得机不得势处，身便散乱，其病于腰腿求之。"澄师常曰，不论快慢，总要均匀，然极不易做到。其次避免双重。谱曰："每见数年纯功不能运化，率自为人制者，双重之病未悟耳。""虚实宜分清楚，一处有一处虚实。"双重者，下则两足同一着力，上者两手同一用力，此为太级拳中之最忌。必须左虚右实，或右虚左实。足力如此，手劲亦如此。拳套中两足虚实尚易分清，两手之虚实非在推手中学习不可。若不推手，决难知手腕上之虚实，腰腿上之变化。谱曰："左重则左虚，右重则右杳。"此两句，即说彼左重则我左虚，彼右重则我右虚，由彼此动作上体察之。有时以阴阳代表虚实，谱曰："阴不离阳，阳不离阴，阴阳相济，方为懂劲。懂劲后愈练愈精，默识揣摩，渐至从心所欲。"

谱曰：“以心行气，务令沉着，乃能收敛入骨。以气运身，务令顺遂，乃能便利从心。”“行气如九曲珠，无微不到。”上节所云，是太极拳内心功夫，是技艺中上乘功夫，须从默识揣摩而得。时与同道中精心苦练之良师好友研究之，在近年来能达成此功夫者不多见，但学人切忌别出心裁，勉强做作，反成疾病。若循规蹈矩能多下苦工，当有影响显现。曩友郭君朝夕苦练，每日数十次，并时时揣摩拳谱中各义。余在重庆时，见其练拳确能气遍全身，腹中作声，四肢轻灵，意态沉着，动作圆满。余深钦佩之。郭君在军部所任事务繁剧，从不见其露疲乏之态，亦不见其感冒等疾。若郭君者，可谓达到却病延年之门径矣。学成技艺，必需良师好友，二者不可缺一。良师者，能引导入正确之路，并表示良好之模范，二者必须兼备，并非师之功夫能赠给与生徒。好友者，能虚心共同研究之谓。古语曰，他山之石，可以攻玉。又曰，择其善者从之，不善者改之，皆能有益于我也。但学成与否，全在自身之锻炼，非为师友者所能包办完成。学习技艺，必须一气呵成，不可一曝十寒，么三歇五。每日在一定时间、一定处所，如在晨间或夜间，则无论风雨寒暑，必在此时行之。练习处所，如在厅堂，或在卧室，每次必在此处练之，方向亦不可更改。如此学习，其进功甚速；反此条件，不易学成，难望进步。

择师须审察周详，既信仰而为我之师，必应恭敬诚笃而学之，不可朝三暮四，今日从张，明日拜李。须知各师有不同之经验，有不同之心得，动作既不同，教法亦不同。至于采访先进，观摩式范，亦属师资之一，是应广事参谒，恭听教言，必能助我之成也。

## 健康与保养

先辈孙禄堂云，无论寿命之长短，必须活得十足。何谓十足?即是一生健康无疾病，尽量发挥本能，满足一切业务。若常在病床，或萎靡颓唐，则一生中不得谓之十足矣。故健康为十足必要之条件，今具体言有七条：

（1）终年无疾病；（2）凡事提得起，放得下，想得全，做得完（心理健康）；（3）能担负百二十斤，至百六十斤长行；（4）每小时行十里至十五华里（休息在内）；（5）前跳一丈，后窜八尺；（6）夏季烈日中能插秧耘田，冬季冰雪中下水捕鱼；（7）连续七天不食（饮水不在内），七夜不睡照常工作。

兼备此七条可称为健康，能超此者可称为强壮。古来方外中人有修持者皆能之，否则不能冲风冒雪，千山万水，朝山参访也。家室之人，物欲所累，不多见矣。

## 关于保养

凡人天生来皆是健康，换言之，遇有风寒、感冒、病菌、疫气，先天俱有抵抗之本能。某科学家云，一立方寸之空气，其中存留细菌不可计，在呼吸中全仗自身为之消灭。然近世来，人寿逐年递减，其所以如此，由于七情六欲，自伤其身体。自伤之道，男女饮食，喜怒忧悲，不得其中而损伤性命矣。

人生中最伤身者，色欲居其半。凡百疾病，虽别有因缘，皆由房事不慎种其根。古谚云，行房百里者病，百里行房者死（其详观本谈前篇）。今据老武术家兼医师者云，其例如左。

饱食或冷食中行房成胃病。当风冒寒中行房成肺病、气管炎。酒后、劳后行房成肠病、肾病。怒后、受热后行房成肝病。若服春药而行房，其害更烈。除家室外，不可寻花问柳。非仅窃玉偷香是邪淫，非其人，非其地，非其处，非其时而为之，皆属邪淫。邪淫是倾家荡产、伤身害命之尤，武德中所必戒。非修炼人亦当守此，是有益而无害，胜服补药万倍。欲戒淫，勿看淫书、淫画、淫戏，勿近浪荡之友，如此离戒不远矣。

人生最宝贵者，精、气、神三者之中，尤以气有莫大之效用。吾人身内之血，如何而周行全身，能周而复始者，全仗气行之（由心房至发血管，再由回血管至心房皆由气推行之）。若无气，决不能推行全身，神经司感觉而已。神经所觉，气必随之，如呕吐、便溺动作，一切皆由气而表现（如内排泄、外排泄均由气行之）。不仅排泄且有吸收作用，肌肤上外治之药由气吸收之，气之为用如此之大，实不可思议，修炼人当更为注意。

兹分养气、补气、炼气三步功夫，大略言之于左。

养气：孟夫子云，养吾浩然之气；文天祥有正气歌，皆非形质之气，其理高深非本篇所谈，兹不具论。今就粗浅言之。气在人身无定所、无方位、无静止、无消失。任何部分皆有气，任何时间皆周行。换言之，气与神经无二致，神经所觉，气必随之。神经有静默，气似有静默而无静默。养气之道，首重静坐。身体端正，盘膝而坐，单双盘皆可。头直闭口，舌抵上腭，两手掌交叠股上。胸勿张勿窄，衣带皆松，臀部加垫稍高。若不适盘坐，垂脚亦可。口中生液至满，徐徐咽之。心勿散乱，亦勿昏沉。念起知而勿随，过去现在未来皆勿思虑，如是数息，鼻气一出一进为一息。勿做作，任其自然。如是而坐一小时至二小时，于气分上有相当帮助。坐后必觉得全身饱满，精神充足，发音宏亮。坐之时间不拘长短，而重在得力。所谓得力者，即如上方法。若能每日在一定时间行之，当能得益非浅。下坐后勿急于操作，方外人有止静、开静、养静三程序。正在静坐时谓之止静，放弃静作谓之开静。开静中休息谓之养静。简言之，下坐后稍稍休息，勿遽然办事可矣。静坐勿在寒风前，勿在饱食后。静坐调息便是调气，即是养气，使气勿偏于一方，得中和之道。

补气：中医有补中益气汤，其方如左。

炙黄芪二钱，党参二钱，柴胡六分，升麻六分，归身二钱，炙甘草二钱、冬术二钱，陈皮二钱，生姜六片，大枣四个。

此剂每年逢冬至、夏至、春分、秋分四节，日服一剂。(若气分充足者可不服。)平时勿多食散气、破气之香燥药物，如豆蔻、砂仁、花椒、茴香等。

炼气。炼气即属于气功。吾国上古以来方法甚多，有属于道家，有属于佛家，有属于技击家，有属于方士、术士。因各家目的不同而方法亦异，其传授手续有可公开，有不可公开，有极简单，有极复杂。其效用亦各别不同，兹举一二例如左。

道家气功分多种，今就余友八十七岁之武术家刘君，所练方法介绍于左。

先在室中置一燃烧之炭盆，将室中浊气熏蒸出户。练者安坐盆后，离开三尺或四尺，端身危坐，双足单盘或双盘，或不盘垂脚皆可（两足垂直，不可交股）。头与颈项朝前，上身不俯不仰，闭目一二分钟后张口吐气。吐至腹内无气可吐，再闭口由鼻吸气，缓缓入腹至小腹，停留一二分钟，然后张口吐出。如是三次后用左手（右手）捏拳，拍击两臂膀及腰腿全身。拍势勿过重勿过轻，使感觉适当为度，其拍数不定多少。初练时用自手拍，继则托人拍击肩臂、腰背各部。一月或二月后，改用小布袋，盛粗砂七八分扎口，代手拍之。初则轻拍，日久重拍。（注意）吐吸三次后，起初用手拍击，待拍击后再吸吐、再拍击，于是轮番吸吐，照上述方法拍击全身，每晨为之。上法练久能使人精神充足，肌肤坚实，四肢强壮。

其二，四川铜梁县山中，道家罗云山老师，抗战时年已古稀，外望之如四十许人。终年不睡，夏不畏暑，冬不怯寒。

其气功开始时，闭目凝神，直立一分钟，两手相抱，十指交叉微近腹部，两脚开作八字形。稍蹲上身，勿过低，约如四平马步。闭口由鼻吸气入小腹（下丹田），务勿泄出，将上身作圆形摇摆，犹如上身在空中画圆圈。先向左旋数十转，后向右旋数十转，到力竭不能再转，始将腹中之气由口吐出。换言之，腹中吸入之气，到摇转不能再转始可吐气。此法在晨暮两时，空气清新之处行之，最好勿与人见，同道者不忌。练久行动健康外，能精神饱满，去病延年，更有其他妙用。

其三，道家龙盒派气功。龙老师须发花白，肌肤红润如小儿。耳目聪明，冬夏一薄绸衫，步履轻便，行动矫捷。无家室，无行李，一身外无长物，食宿无定时。每雪夜露宿山间林下，常居岩洞中。

其气功，守窍静坐，徐徐呼吸，舌抵上腭。待口内液满，缓缓吞之。据云此系初步功夫，待到相当程度，再授二步三步功夫。

佛家气功。僧界在内地除坐香、跑香外，仅有达摩祖师之八段锦、易筋经、洗髓经三步功夫。此书上有唐李靖题，南宋牛皋题，跋云，岳武穆幼年能开三百石弓者，得此书之功（由某老僧所传）。显宗并无气功传说。

西藏西康等处，唐以来有由印度传入之气功，即喇嘛所练之九节风、宝瓶气、颇哇法开顶、亥母拳等，皆属于密宗气功。其方法有简有繁，须经相当手续始可面授。因与其他修持方法相关，不能单独习练，非本篇所论，不详述。

技术家气功。青年时，用冷水激刺肾囊与阴茎上缩，逐渐用气提吸，使吸入小腹。初由夏季开始，渐到冬季。若在中年以后，则此法不能行。另用捏拍肾囊睾丸，揉之拍之，使睾丸由柔而硬。两手交拍交揉，并用气提吸，日久亦能入腹。此法能坚固脏腑，增长精液。余友潘君，中年因此得二子。技术家常云：“内练一口气，外练筋骨皮”“冬季练气血，夏季练筋骨。”

南方拳术家，有闭气练拳。开始即咬牙鼓腹吊裆（吸阴茎），百脉紧张，面红耳赤。动作数次，狂吼一声，或全套毕而大吼。练器械亦如此。浙东温处台三府属，练武术者大半如此。此种练法，本身强健者初练易见功效，偶一不慎，伤气伤肺，或致伤筋脉。余极不同情，但浙东少年喜此，屡见不鲜。

方士、术士之气功，凭藉符咒，假借药物，再以本身精气合而修炼，久之能将五金制物，或磁铜玉石等物可作工具，任意使用，其神妙处不可理解。本人在四川时曾目睹多次，非虚构其词以惑读者。

气功，中国历古以来，修炼者不知凡几。道家炼此甚多，其派别亦多，方法各各不同。佛家密宗，亦因法本种种不同。技术家气功，大别南北两派而细分。不知若干派，其方法亦因之而异，方士、术士，派别更多，炼法亦异。若欲炼气功或静坐，不能照书本试练（现在书店出售之气功疗养法、某种静坐法，等等），余屡见试练成病。必须由师面授，并且时时请师校正，万不可无师自通也。愿读此者注意之。

结论，吾国以往被人称为老大帝国、东亚病夫。而今不然，睡狮已醒，发奋图强，人人皆知强健体育，锻炼身心。但锻炼须得其道，否则易遭损害。

第一先从保养入门。若保养得益，即不锻炼亦能健康。如不保养身体，不仅无益，反而有害。所谓保养者，摒弃一切嗜好，凡属有害于精气神三者，概行戒绝，并非吃龙经虎骨，服人参燕窝等补物。药补不如食补，家常园蔬亦均营养，适口充肠便是滋补。编者少年多病，因习练而除病，今年七十有三矣，动作尚能如恒者，不敢滥用精气神耳。本篇所述卑无高论，谬误之处在所不免，愿海内高贤加以指正，不胜感祷之至（其详参看本谈上篇）。

丙申仲春下浣
七三老人黄山樵
志于勾山樵舍

# 附：近代武术家轶事



## 杨露禅

杨露禅先师，祖居直隶永年县。专务农业，不预问外事，所谓一不护院，二不保镖，三不卖艺。简言之不走江湖，与人无争也。

清季，北京城内大家，时时失窃珍宝，报官后从未破案。某年，端王府亦失窃珍宝，责令步军统领破案，在京师明查暗访，竭尽侦探之能事，终无端倪。不得而托诸镖局中人，向京外各地寻觅。

有走南路镖局者云，春间走镖经直豫边界，闻某庄院中瞿某武功高超，家藏珍玩极多，但从不闻其向何商何人购来。其地离京约百六十里（华里）。瞿家素富，或不致出此，若能托其协助侦缉当有帮助。步军统领即以此情禀复端王，端王命刑部令该县查办此案。县长与僚属商议，据云瞿某似有嫌疑，但不能以力致之，必须托一武功有声望者，以情动之，或能办成。闻近有杨露禅者，武功极有声誉，由杨去罗致，当有可能。县长即往杨家，卑礼厚辞，再三敦请，杨始允之。

翌日，杨带一徒前往，到该庄见院门紧闭，即上墙垣俯视内容，见空院上有铁丝网，不得下。此时即有人出问何人，杨告以姓名。其人曰："杨大爷，请下墙，余开门相迎。"于是杨下墙，与徒登堂谒见，知即瞿某也。杨寒暄后，告以端王慕君之名，且为同好，请往京中一叙。瞿默思再三曰可。杨归县署，述其经过，县长即恳托杨伴瞿进京到部。杨却之不可，于是翌日带徒邀瞿同行，到部后审问各案。瞿完全承认，详述窃盗经过。瞿能飞檐走壁，一夜可行百数十里，专窃珍贵古董，后在狱中撞壁而死。端王始知杨氏武功高深，留于王府教授一般亲贵。迨民国肇兴，亲贵疏散，杨家太极拳始流传于社会，此近世杨派太极拳之发轫。

## 杨班侯

班侯，杨先生露禅之次公子。躯干甚伟，秉承家学，其太极门各艺，北五省习武术者无不钦佩。平时所持之枪重三十斤，人称杨铁枪，又称杨无敌，镖局中争聘为镖师（其时杨家在京已弃农业）。常以鹊置手掌中而不能起飞。人问其故，杨曰："鹊之振翼而飞，必恃其足跃跳而起，我掌不受其跳跃之劲，即谱云：'一羽不能加，蝇虫不能落'，掌中听劲灵敏，使鹊不得其力故不能飞也。”与同友中推手，常发人三丈外。

某日清晨，在堂前洗面，突来一头陀僧，询曰：“君是杨班侯乎?”杨未及回答，僧突以头冲入，杨急以双手接而掷之，僧仆跌两丈外园中，起而拱手曰：“大爷功夫好!”连称数好而去。杨视双脚用力处，足印入土中寸余。人问杨：“头陀何以跌出之快?”杨曰：“此系接劲工夫，接彼之劲而发之，不容须臾变换，一刹那中而发出矣。”

班侯先生一日在野外执杆驰马，似习马战。有西人狩猎中失去爱犬，托为寻觅。班侯归途中见其犬，以杆拈之而归。见者称奇，询其故，班曰：“太极枪法中黏拈功夫也。”

## 杨健侯

杨健侯，字镜吾，露禅先师之三公子也，于太极门各艺深得三昧。秉性温和，授徒亦众。某日在堂前闲坐吸烟，见其媳妇一手抱孙儿，一手持面盆向园中倒水，忽立足不稳将倒时，杨翁一箭步前去扶住，其时间不容发，其快速如电。某夜睡眠中，梁上落一鼠，适落于腿上，弹出于地，明日起视其鼠，已跌死地上。人问其故，答曰：“接劲使然，亦由听劲灵敏而致此。”

杨家在永年县务农时，某日屋侧有大堆稿荐着火，势将蔓延，附近无河井。邻人惶急无措，健侯先生以杆插入草堆，用力抖之，稿荐四散于地，刹那间扑灭矣。后在京寓某日出街归来，经过酒店门前，突有一大兵自店出，直撞杨身。杨稍一蹲身，大兵反跌入酒店中。旁坐酒客皆为惊奇，杨身若有数百斤弹力也。后经友好询其故，杨曰："无他，接彼来劲而发之。"友曰："何以知其来撞?"杨曰："练功夫人，时时刻刻不离警惕，偶有接触即顺势化而发之。所谓化者发者，言之分二，用之则一，无可分也。"

## 杨梦祥

杨梦祥先生，字少侯，颇似班侯，性情刚强。拳练小架子，专练冷劲，学者极难领受，故列门墙者不多。

民国初年，南京王部长聘为家庭教师，初则男女老少皆请授艺，继则不敢问津，畏其发劲太烈，不胜其苦，逐渐星散。乔居半载，客死宁垣。澄甫先师适任浙江国术馆教务长，闻耗赴宁奔丧，料理善后焉。

## 杨澄甫先师

先师性情温和，极似健侯先生。教拳以大架子，常曰："先求开展，后求紧凑。小架子是打人用，汝等学拳为求强身计，并非为打人，故不必着重小架子。"循循善诱，和蔼可亲，故南来年余，列门墙者甚多。教授方法简单平易，按学者程度加以指示，拳套学全再教推手，再大捋、太极刀、剑枪等艺，均按学者功夫深浅而教之。对久学之门人，推手发劲沉长，常发人于两三丈外。教太极枪时，其劲更猛，但于初学或年老有病者，决不如此发劲。每对学者曰：“练习不论快慢，总要均匀，必须周到着实，不可自出新奇，有背祖训。”寥寥数语，概括一切矣。最可敬者，澄师在武术界多年，毫无江湖习气，对门下弟子绝无需索，待人接物从无疾言厉色。编者五六年来朝夕受教，迨澄师应粤省当道之聘，彼此分离。今者吾师已归道山，回忆典型不禁黯然。

在澄师门下学练最久，南来授艺者，据编者所知，有田绍先、陈微明、武汇川、牛静轩、陈月波、董英杰，其次李雅轩、杨达等。最难得者，陈微明师兄创办上海至柔拳社，除授太极、八卦两门各艺外，并教以诗赋古文。望之彬彬然，温文尔雅，讵知为文武兼优，杰出之导师哉。而今皈依密宗，闭户潜修，他日之成，非可限量，是笔者所钦佩无已也。

澄师公子杨振明，在两粤与董英杰同为教师，近十年来其功夫必有可观。家学渊源，克绍箕裘，是杨家千里驹，必能光大门庭，慰先祖于地下矣。

杨氏昆季身躯皆伟岸，对于各艺，每日晨昏苦练，于拳套一日数十次。先天强健，加以家学渊源，又能专心苦练，无怪其超群也。即近年在申传艺之田绍先先生，在杨家最久，在冬季着单衣习练到出大汗，每日必数十次。总之，欲技之成，非加以相当锻炼不可，决非偶然可得也。

## 大枪刘

大枪刘，直隶籍，自幼习枪，膂力过人。所用之枪，较平大枪长二尺余，常人所不能用。时以大枪触玻璃上苍蝇，蝇触死而玻璃不碎。尝客李师芳宸将军署。有李师同乡赵某练武术多年，乡党中称道之。某日来访，李师命与大枪刘一较身手。赵未作势，刘即一掌击之，赵某扑于墙，复倒于地，起即吐血，返家后卧病矣。李师不以刘为然，同为幕客，何出此毒手，即逐之。刘之言动若患神经病。前鲁督韩复渠在省开武术比试会，命余之师兄林志远邀刘为评判员，见刘着长袍，外加阔镶四方大马褂，背插数箭，腰悬一弓，头戴阔边毡帽，手托两铁球，盘旋不息。下楼时不由梯走，从走廊中跃下。同寓旅客皆目为怪人，而刘欣欣自得，安之若素。任何人不可与其握手，曾有济南国术馆教师某与刘握手，某手剧痛异常。翌日，视手已浮肿受伤，不能执物矣。刘与人对演大枪时，不用两手，仅一手执杆。两杆相交，刘杆一抖擞，对方之杆被震而落地，因不胜其震劲之烈执杆不住也。古来小说中，交战时手掌虎叉震开，今知确有其事。

## 孙禄堂与张铁掌

满清末叶，特简赵尔巽为东三省总督，赴任时随从中以孙禄堂、张铁掌为侍卫。赵到任后，孙、张潜居府中，不与外界往还。讵知日久，东省武术界知之，有名者盖三省者，为东省武术界之巨子，深怪孙、张不来访（照当年江湖惯例，武术界人如到别省欲卖艺教拳，必须先拜当地同道，以尽客礼。戏班到地演戏，亦须拜访当地票房票友，如不久住，仅过路者不在此例）。日久，盖不能耐，于是往督署访之。孙、张接见后，寒暄数语。盖曰：闻二兄功夫甚深，他日来领教。孙闻之不敢遽允，张曰："好，好。"送别后，孙曰："观盖身体魁伟，其力不弱，言动桀傲，交手一定不善，君何以允之?"张曰："吾观盖步履轻浮，不足虑，易对付之。"数日后，孙、张同访盖于家，数语后盖请表演，盖、张二人即在园中往来比试。初则张以守势自卫，而盖以张怯弱，急于取胜，手脚猛烈。张不能忍，乘其不意，一翻掌击盖小腹于地。盖不能起，孙急扶之，盖面已变色，吐血数口。孙、张道歉而别，旬日后闻盖呕血而死。此张之所以称铁掌，洵非虚语。然盖咎由自取，而张亦太忍心矣。

孙禄堂，自幼好练武术，善练八卦、太极、形意三种。孙称三位一体，其意皆属于武当门，且艺之要领皆同，北方武术界皆尊重之。孙善使弹弓，置一弹于瓷盘中，孙从远处以另一弹击之，前弹跃出，后弹住于盘中。以弹击鸟，无不中之。曩为徐东海总统之侍卫，一日徐出会客，经过廊下，突有一人从侧跃出，孙只手托其腰，送出丈外而不仆跌；总统徐行无阻，而某亦不伤，其技可为神矣。孙于武术外兼通文翰，于六经、易理皆有心得。笔者时时过从，常承指导。其公子存周，在浙军界教习有年，癸酉后已离浙赴沪。

## 铁肩王长胜

铁肩王长胜，专练六合撞：(1) 头，(2) 肘，(3) 肩，(4) 身，(5) 腿，(6) 胯。其撞法奇突，撞力甚猛而快，相隔一二丈远时，见其一撑手即到，被撞者即倒。

## 杜心五

杜心五，湘西人。幼年遇侠士，传以自然门各艺，能轻身纵跃，手足坚强，率性豪迈。满清末叶，误入歧途，游绿林中有年。未几深悔所为，奋然赴日本早稻田大学习农科，归国考得农商部主事。在农部服务外，兼各大学教授，暇中传习武技。大学生中有万籁声者，从杜学艺最有成就，在江南国术比试中皆获优胜。杜与笔者有金兰之契，尝游于李师芳宸之门。杜语余曰："吾人身中最长用者手足而已，最长者足尖手尖，即为吾人之器械。若器械不良不利，虽学千艺万法，终不能克敌制胜。"

拳套，扑击中方法耳。

第一，先将手足二尖练成快利之器。所谓练成者，手尖足尖要锋利。第二，要全身之力贯注到足手二尖。第三，要动快眼明。

第四，要步快心灵。至于踢打之术，稍加习练便能领会。

练手尖之法，即用子母球练之。用大小两铁球，大者重约八磅至十磅，因练者本有之腕力而异。此球之十径，适当练者撮合球之指尖，以撮得起，似撮不起，每日晨昏撮六七次或八九次。如是撮之，使五指尖渐渐增长其撮劲，不可撮过十径线。其小铁球满掌可爪，亦每日晨昏爪而提六七次或八九次，渐渐增长臂腕之提劲。如是两手交换，朝夕撮提，不久练成铁爪（其成效因人本能而不同）。

练足尖，即是拳法中称为鬼拉钻。在床脚上或门档侧缚一如臂之竹筒，每日晨昏用足尖踢之，同时两拳向前作起击势。如左脚踢竹筒，上面右手作拳击；右脚踢竹筒，上面左手作拳击。如是上左下右，上右下左，仿佛拉钻。但身躯要蹲低，两足要踢直，必须踢着竹筒，亦不过猛，过猛防受伤。两臂起作拳击时，初则腕上不戴铅环，继则用二两之铅环套于臂上，两臂同。日久由二两增为四两，由四两渐渐增加至三斤五斤，乃至十余斤。如是练久其效用不可比拟，足尖能踢破竹筒，两臂能击退数十百斤之物，且手足同时到者，敌者无可趋避。常言曰：若人练得鬼拉钻，天下英雄打一半。此为练武中最简捷之法，欲防身者练此一艺可矣。

至于修心养身之法，莫过于静坐。杜又云：普通说飞檐走壁，纵跳如飞，但知其名不知其法。飞檐是轻身功夫，先从篦筐（簸箕）起。走壁是跑板功夫，每天在一块板上跑走，先是平摆跑走，而后逐渐倾斜（初则三十度渐至四十、五十、九十度），到角度极峻，能上下跑走，便可走壁矣。纵高，在室内掘一如人身之深潭，其直径如自身之大，约三四尺，下面用寸板叠至与地面平。学者将两腿用木绑成直线，而后用肩向上提动，初则不能动，多日后能动，再后立在木板上向板外提跳，若能两脚提出板外，在外亦能提跳入内，来往自如，则去一板（约一寸），再照上法提跳。由是逐渐去板至半人深，则去所缚之木杆，便能纵高上墙矣。此法每日晨昏习练六七次，平时仍照常工作，不妨碍业务。此为自然门之自然功夫也。

江浙举行国术比试时，杜为评判员，每场比试终了，杜辄表演鬼头手、轻身步等艺。尝以两足尖走矮步，环行不息，双手作环击状，观众无不称奇。尔时年逾花甲，两腿矫捷轻灵如两手，然外貌绝不似武术界中人，宛然来自乡间之冬烘先生也。

## 飞腿张恩庆

飞腿张恩庆，河北独流县人，搓角门之泰斗。清同光年间人，称镇长江飞腿张恩庆。其发腿快而准。清末张之洞任两湖总督，张恩庆为侍卫，鄂督骑马拜客，张恩庆必马前三步。

民国十八年，浙江国术比试大会，恩庆为评判员，暇中笔者见其演技，张与人离开六步，彼曰："我腿击你右肩。"一举手，驰步即到右肩。又击试左肩亦同。有时命人跑步，无论左跑右奔，张一举手，其腿必中其肩背。张曰，腿打下身不算功夫，发腿之快而准实为罕见。张身躯中等，虬髯重颔，行动矫捷，善双刀、虎头钩等技。

## 神手唐殿卿

神手唐殿卿，湖南随州人，清同治年来遨游南北。江湖上称之神手者，因其能以三指托六十五斤铁百龄鸟笼，行走二十里。专练西阳掌，回教之特艺。

## 王成九

王成九，外号王二爷，直隶人。民国十九年，曾南游各省，为中央国术馆传授气功。据云幼年遇道家，传气功外并四十八字，修炼身心，于武技亦习练多年。江浙两省向其学气功者，皆伤、外科医师。

## 刘百川

刘百川，皖南六安人。龙腰虎背，须发皓然，年虽八十又七，而精神饱满，举止如常。与笔者二十年前有车笠之谊。其幼年爱练武术，经各名师教授，刀枪鞭棍皆经苦练，惟少林派灵陵门罗汉拳、单双刀最为善长。尤其是九转连环鸳鸯腿（《水浒传》中武松打蒋门神之腿法）（踢腿与踢脚不同）。其用法接二连三，正踢、侧踢、反踢、倒踢，对方决难逃避。最奇者，对方接持其腿，在别派拳法中无可使技，在连环腿中，利用接抱其腿而再踢之，其劲更猛，必致腹破肠流。刘常曰："拳打肘肩头。"其意即打拳不着即用肘，打肘不着即用肩（靠），如肩亦不着即用头。"腿踢脚膝胯"，其意脚踢不着即用膝用胯，皆是接二连三朝对方前进打去，使其应接不暇。

灵陵门罗汉拳，除拳套外亦有推手，亦有对打，亦有散手。其练习程序大致与太极门相同。笔者曾学罗汉拳对子数式（老和尚撞金钟等），所谓磨转心不转，出手动作皆是连环法。此类拳谱想已遗失，或密藏不欲问世欤?

至鸳鸯腿练法，先在空园中树立两脚之木架（比人高尺许），中悬一麻袋（普通盛米一石之大袋），袋中满贮细草或棉絮，能左右前后动荡。学人离袋二三尺地，用披掌驰步（滑步，亦名偷步），前进横右腿踢之（非脚掌全腿横扫此袋）。其袋向后或左右荡开，即反背蹲身用左腿蹬之（用脚跟）。其袋再向后，复披掌右腿横踢之。如此可接连不断，周而复始学习之。初练用力不可猛，防伤脚掌。

其伤科气功，传自山西名医杨登云老师。杨除伤科外，系西北武术名师；伤科施药与手术，推拿整骨，别具妙用，著手成春。笔者当年曾向百川学习连环腿，并罗汉拳对打，惟伤科从未问津。如今已老，徒羡其艺之精深而已。

## 海灯法师

吾师海灯法师，俗家陕籍。剃度后受具足戒，人皆知为显密融通之大法师，不知其为川陕闻名之武术家也。成都市每年花会，各业聚集，除商贩外以各种游艺为娱乐。最后有武术比赛，所谓摆擂台，每请海师表演为结束。师初临潼山文昌帝君庙，住持素来以荤酒祀神。迨海师升座后，宣告断掌茹蔬，而一般纠纠信士以为不可，势将决斗。海师闻之，笑曰：若欲动武，真班门弄斧矣！若谓不信，即演数艺于众前，群众望而却步，摇头伸舌，不敢作声而去。近年参访嵩山少林寺，僧众久闻其名，群请授艺，曾教习年余而别。元秀无状，屡蒙教诲，毫无寸进，徒负吾师之化育矣。

## 田宿宇题词

苦乐荣枯在自强，读君高论似迷方。

未能入室惭庸钝，且喜升堂许狷狂。

武术精研堪作圣，文章余事岂全荒。

放庐松鞠勾山月，付与骚人考证忙。

文叔先生郢政

山阴后田宿宇供稿

# 书黄文叔先生《武术丛谈续编》后



圣门施教，首重六艺。礼以立身，乐以养性，为人生之大本，亦教育之大端。次则射御近乎武，书数近乎文，文事武备，内外兼资，二者盖不可偏废。迨及后世，上焉者或崇文或尚武，无一定之规程；下焉者从风而靡，苟一时之利禄。驯至文无缚鸡之力，武成没字之碑，谁生厉阶，狂澜莫挽。清季废科举、兴学校，倡为三育并重之说。以德育概礼乐，以智育概书数，以体育概射御，具体而微，未能尽教育之能事。矧复朝令暮改，问学之士无所适从，欲以是为强国强种之权舆难矣。是故言政教者，智所以治事，勇所以御侮，相倚相资，如左右手也。顾仲由子羽之艺不见于经，袁公处女之书不传于世，娴书史者，不知剑戟；习技击者，不能文章。射御一降为戈矛，再降为拳捷，潜藏深隐数千年绝技，知之而不能言，言之而不能尽，若有若无，不绝如缕，可慨也！

文叔少从事于学问，诵黄老之经；晚致力于葆真，究净禅之密。专气致柔，澹泊明志，闻之有素矣。又与李芳宸、田绍先、杨澄甫、杜心五、刘百川诸师友及比丘海灯游。艺日以精，气日以沛，惟以老自韬，不欲更有所授受。今秋小女晓英以藿食多病，约吴佩秋女友偕往请业，再更弦望于太极拳、武当剑两门仅具端倪，而瘦损之躯渐增伉爽，深知服气练形之学实具精微，非田径球类之剧烈运动所可比拟也。

文叔旧著《武当剑法》《杨家太极拳》诸书，迭经变乱，海内已成孤本。上年辑《武术丛谈》而运行图样尚嫌未备，兹因孺子可教，续辑是编。予为浏览一过，知其勤求力学，老而弥笃，而诲人不倦之忱，尤不可及也。辄书此以志岁月。

丙申嘉平之朔

清平山人徐映璞

## 武学名家典籍丛书

| | |
|---|---|
| 杨澄甫武学辑注<br>《太极拳使用法》《太极拳体用全书》 | 杨澄甫　著<br>邵奇青　校注 |
| 孙禄堂武学集注<br>《形意拳学》《八卦拳学》《太极拳学》<br>《八卦剑学》《拳意述真》 | 孙禄堂　著<br>孙婉容　校注 |
| 陈微明武学辑注<br>《太极拳术》《太极剑》《太极答问》 | 陈微明　著<br>二水居士　校注 |
| 薛颠武学辑注<br>《形意拳术讲义上编》《形意拳术讲义下编》<br>《象形拳法真诠》《灵空禅师点穴秘诀》 | 薛　颠　著<br>王银辉　校注 |
| 陈鑫陈氏太极拳图说（配光盘） | 陈　鑫　著　陈东山　陈晓龙　陈向武　校注 |
| 李存义武学辑注<br>《岳氏意拳五行精义》<br>《岳氏意拳十二形精义》《三十六剑谱》 | 李存义　著<br>阎伯群　李洪钟　校注 |
| 董英杰太极拳释义 | 董英杰　著　杨志英　校注 |
| 刘殿琛形意拳术抉微 | 刘殿琛　著　王银辉　校注 |
| 李剑秋形意拳术 | 李剑秋　著　王银辉　校注 |
| 许禹生武学辑注<br>《太极拳势图解》<br>《陈式太极拳第五路·少林十二式》 | 许禹生　著<br>唐才良　校注 |
| 张占魁形意武术教科书 | 张占魁　著　王银辉　吴占良　校注 |
| 王茂斋太极功 | 李培刚　辑校 |
| 太极拳正宗 | 杜元化　著　王海洲　点校 |
| 太极拳图谱（光绪戊申陈鑫抄本） | 陈　鑫　著　王海洲　藏 |
| 陈金鳌传陈氏太极拳暨手抄陈鑫老谱 | 陈金鳌　编著　陈凤英　收藏<br>吴颖锋　薛奇英　点校 |
| 黄元秀武学辑录<br>《太极要义》《武当剑法大要》<br>《武术丛谈续编》 | 黄元秀　著<br>崔虎刚　点校 |

## 功夫探索丛书

| | |
|---|---|
| 内家拳的正确打开方式 | 刘　杨　著 |
| 借力——太极拳劲力图解 | 戴君强　著 |
| 武学内劲入门实操指导 | 刘永文　著 |
| 武术的科学：实战取胜的秘密 | [日] 吉福康朗　著　宋卓时　译 |
| 格斗技的科学：以弱胜强的秘密 | [日] 吉福康朗　著　宋卓时　译 |

## 格斗大师系列

| | |
|---|---|
| 伊米大师以色列格斗术 | [以]伊米·利希滕费尔德，伊亚·雅尼洛夫　著<br>汤方勇　译 |
| 拳王格斗：爆炸式重拳与侵略性防守 | [美]杰克·邓普西　著　史旭光　译 |

## 老谱辨析丛书

| | |
|---|---|
| 马国兴释读杨氏老谱三十二目 | 马国兴　注释　崔虎刚　整理 |
| 马国兴释读太极拳论 | 马国兴　注释　崔虎刚　整理 |
| 马国兴释读浑元剑经 | 马国兴　注释　崔虎刚　整理 |